Lee Child

BIZTONSÁGBAN

Lee Child

BIZTONSÁGBAN

GENERAL PRESS
KÖNYVKIADÓ

Régi barátomnak, Otto Penzlernek, a kötet ötletgazdájának

Előszó

A kilencvenes évek elején már a változás szele fújt, és én tizenöt évnyi tévés karrierrel a hátam mögött megéreztem, hogy nem lehet örökké enyém az aranytojást tojó tyúk. Mi legyen hát a következő lépés? Halványan, lassú tűzön érlelődött bennem a terv, hogy regényeket írjak, de a mindennapos taposómalom hónapról hónapra lefoglalt még annyira, hogy általában eszembe se jusson az ötlet. Aztán, ahogy Hemingway a csőddel kapcsolatban megfogalmazta: a vég, ami először csak fokozatosan közeledett, egyik pillanatról a másikra elérkezett. Egyik nap még tapasztalt rendező voltam, másnap már munkanélküli.

Itt volt az ideje, hogy az eddig parkolópályán tartott terv megvalósuljon.

Hároméves koromban magamtól tanultam meg olvasni, és négyévesen cseréltem le a képeskönyveket kép nélküliekre, így mire az ötlet, hogy író legyek, komolyabban felmerült bennem, már körülbelül tízezer hosszabb lélegzetvételű elbeszélő könyvön rágtam át magam, és negyvenezer órányi televíziós műsor tapasztalatával rendelkeztem, a dokumentumfilmtől a drámáig. Úgy éreztem, hogy kellő gyakorlati tudást szereztem a szórakoztatás terén. Ismertem a ritmusát, a nyelvtanát, tudtam, mit akar a nagyközönség, miért reagálnak úgy, ahogy, és miért vevők bizonyos dolgokra, másokra viszont nem. Járatos voltam az ügynökök uralta szakmák világában. Úgy gondoltam, hogy egy könyvkiadónál a felelős szerkesztő hasonló szerepet tölt be, mint a tévénél a kreatív producer. Tudtam, hogyan kell népszerűsíteni és reklámozni. Mindig is az olvasás volt az első és legnagyobb szerelmem, és úgy éreztem, hogy a belülről fakadó szenvedély és a tágabb szórakoztatóipari tapasztalat együtt segít majd engem. Korábban kemény leckék árán tanultam meg, hogy a szórakoztatóiparban szó szerint semmire sincs garancia, de összességében észszerű esélyt láttam arra, hogy vigyem valamire regényíróként, hogy legyek olyan jó, mint bárki más – talán néhányuknál még jobb is. Felkészültem. Alaposan végiggondoltam és megterveztem mindent, és úgy véltem, nagyjából ráéreztem a lényegre. Készen álltam.

A novella mint lehetőség egyáltalán fel sem merült bennem. Persze tudtam, mi az. Százával, élvezettel olvastam őket. A legjobbak olyanok voltak számomra, mint egy Fabergé-tojás. Apró, egyszerre törékeny és bonyolult, tökéletesen megformált alkotások. Némelyikük évtizedek óta él az emlékezetemben, és minden bizonnyal velem marad örökre. De sosem jutott eszembe írni egyet. Valahogy nem láttam a köteléket a hosszú és a rövid formátum között. Úgy gondoltam, nincs is összefüggés. Azt éreztem, hogy a két formát két különböző embertípus képes csak kezelni. Nem hittem, hogy egy magamfajta egy műfajos szerzőt felkérhetnek arra, hogy próbálja ki magát mindkettőben.

Befejeztem az első regényemet, és elküldtem egy kiadónak, amely legnagyobb örömömre elfogadta a kéziratot, és előirányozta a tizennyolc hónappal későbbi kiadását. Tudtam, hogy ha szeretnék évente egy könyvet megjelentetni, akkor évente egyet meg is kell írnom, így abban a tizennyolc hónapban elkészült a második és majdnem egészében a harmadik munkám is. (Egy idős edző tanácsát követtem, aki azt mondta nekem: több tehetséget nem tudsz növeszteni, de mindent megtehetsz azért, hogy keményebben dolgozz, mint bárki más.) Mindhárom könyv bőven százezer szón felüli terjedelemmel bírt, és reményeim szerint mind tele volt izgalmas és energiával fűtött kalandokkal és feszültséggel. De volt bennük fény és árnyék is, csendes jelenetek és apró elhajlások, szóval minden, ami a regényt levegős és befogadó vászonná varázsolja, először csak az író örömére, majd – ismét csak reményeim szerint – az olvasó kedvére is.

Első regényem 1997 tavaszán jelent meg. Jack Reacher bemutatkozott a világnak. Azonnal sikert aratott, egy jövőbeni, minden bizonnyal ígéretes sorozat első részének tűnt. A kedvező megítélés két azonnali következménnyel járt. Először is lehetőség nyílt egy hollywoodi filmadaptációra, másodsorban pedig érkezett egy felkérés egy novella megírására. Hollywoodot valamelyest ismertem, mivel a tévétársaság, amelynek korábban dolgoztam, nyitott ott egy stúdiót, és rögtön két Oscar-díjat is nyert. De a novellák mibenlétének megértéséhez egy gyorstalpaló tanfolyamra volt szükségem.

Bepillantást nyertem az antológiák világába. Némelyik válogatás egyértelműen arra tett kísérletet, hogy a kiadó némi bevételhez jusson; mások a közelmúltból, retrospektív módon, szakértők által innen-onnan összeválogatott remekműveket emeltek ismét a rivaldafénybe; és megint mások jótékonysági célt szolgáltak, adományt gyűjtöttek arra méltó ügyek számára az ingyen felajánlott írások felhasználásával. De a legtöbb gyűjteményt olyan írószövetségek adták ki, mint az Amerikai Bűnügyi Regényírók vagy a Nemzetközi Krimiírók Szövetsége, és a többi, akik a kiadványokkal támogatókat kívántak szerezni, és az így befolyt jogdíjakból próbálták fedezni a kiadásaikat – reményeik szerint.

Természetesen az a bizonyos bevétel tetemesebb lenne, ha a köteteket kizárólag már befutott, nagynevű írók műveivel töltenék meg, de az írószövetségeket arra találták ki, hogy minden alkotót felkaroljanak, így a fele-fele eloszlás tűnt az elfogadottnak: fele nagy név, fele új név. Az elkötelezett olvasó megveszi a kiadványt az ismert írók miatt, a társulással és az ezzel járó nyilvánossággal pedig a kezdők is jól járnak – reményeink szerint. Az így összeollózott információk alapján arra a végkövetkeztetésre jutottam, hogy akár kezdőről, akár befutott alkotóról legyen szó, a novellaírás *pro bono* tevékenység. Egy író sem keresett vele soha említésre méltó összeget. Ezt a meglátásomat későbbi tapasztalataim igazolták, mivel a legjobban fogyó novellám is ezerszer kevesebbet hozott a konyhára, mint a legrosszabbul teljesítő regényem. Hosszú távon éppen ez az aránytalanság bizonyult a novellák legnagyobb előnyének, legalábbis számomra.

Ennek tudatában, valamint két és fél megírt és egy addigra már kiadott regénnyel a hátam mögött beküldtem egy novellát egy bűnügyi témájú antológiába. Aztán kaptam egy felkérést, majd egy újat, és így tovább, amíg eljutottam oda, hogy évente öt-hat novellám is készült. Vagy tíz. Néha több is, azt hiszem. Első lépésként minden egyes alkalommal meg kellett hoznom egy alapvető döntést: Reacher vagy nem Reacher.

Kezdettől fogva felváltva, hol az egyik, hol a másik mellett tettem le a voksomat. Volt előnye annak, ha Reachert választottam – adott előélettel és szerkezettel bíró karakter, bejáratott hang és nyelvezet, lehetőség az olyan ötletek és cselekményelemek felhasználására, amelyek nem tesznek ki egy regényt, és a többi.

De az igazi örömet a nem Reacherről szóló történetek jelentették számomra. A kötet, amelyet a kezében tart, egy szerkesztői válogatás az utóbbi fajtából. Számomra minden egyes alkalommal az nyújtotta az élvezetet, hogy tőle eltávolodva kipróbálhatok valami mást. Valami újat. Más korszakot, más helyszínt, más nemzetiséget, más személyiséget, minden mást. Felszabadító érzés volt. És szórakoztató. Ám az a meggyőződésem tette igazán élvezetessé a folyamatot, amelyet a legmélyebb tudatalattimban élő tökéletes félreértés táplált. Mint ahogy említettem, ezek közül a történetek közül egyikkel sem kerestem pénzt. Éppen ezért súgta az én tévés bevételeken edződött tudatalattim, hogy senki sem olvassa őket. Nincs közönség, nincs pénz: ilyen a show-biznisz.

Elhittem, hogy senki sem figyel, és ez volt a lehető legjobb az egészben. Nem volt tétje a dolognak. Bármit kipróbálhattam, amit csak akartam. Voltak persze kudarcok, máskor viszont sikerült valóban elkapni a fejemben a hangot. Boldoggá tett ezeknek a szövegeknek a megírása. Habár nem vagyok benne biztos, hogy valaha is megtanultam novellát írni. Mármint jó novellát, mert egyik sem lett egy Fabergé-tojás. Van ugyanis valami titokzatos adalék a novellákban, amit csak a nagy írók ismernek. Nekem sosem sikerült rájönnöm, mi az. Az enyémek csupán nagyon-nagyon rövid regények. De legalább nem a roszszabbik fajtából. Van elejük, közepük és végük, illetve történik vagy kiderül bennük valami meglepő.

Azt a tagadhatatlan áramlást és energiát, amit számomra most mutatnak ezek a művek, nem csupán a felfedezetlen terep és a láthatatlanság érzése idézte elő, hanem visszatekintve annak az érzetnek a hiánya is, ami a regényíróban munka közben tudat alatt mocorog, hogy ennél sokkal, de sokkal több van még hátra. Hogy a sziklát még fel kell görgetni a hegyen. Novellaírás közben viszont nincs óvatoskodás, hogy miként csomagoljuk ki a történetet. Nem kell megőrizni semmit a tizenhetedik fejezetre. Minden úgy jó, ahogy van, akkor, abban a pillanatban, még ha a sietségben, gyakran egy szuszra megírva, ki is marad valami. Mint ahogy már említettem, szórakoztató volt.

Lee Child
Colorado
2024

A testőr

Ahogy minden másban, úgy a testőrök világában is szakadék húzódik a valóság és a látszat között. A látszattestőr csupán egy túlértékelt sofőr, termetes férfi, méretre szabott, elegáns öltönyben. Nincs túlfizetve, és éles helyzetben nem túl hatékony. Az igazi testőr szakértelemmel és tapasztalattal rendelkező, gondolkodó, képzett ember. Nem számít, ha kis termetű is, amíg képes mérlegelni és kitartani. Amíg eredményesen lép fel, amikor elérkezik az idő.

Én igazi testőr vagyok.

Vagy legalábbis voltam.

Egy olyan titkos katonai ezredben képeztek ki, ahol a személyes védelem a tananyag része. Sokakkal együtt hosszú ideig szolgáltam katonaként, mindenfelé a világban. Közepes termetű, szikár, gyors, kitartó ember vagyok. Nem kimondottan az a maratonfutó típus, és semmiképpen sem egy súlyemelő. Tizenöt év szolgálat után hagytam ott a sereget, és egy barát által vezetett ügynökségen keresztül vállaltam megbízásokat. A legtöbb munka Dél- és Közép-Amerikába szólított, és általában rövid ideig tartott.

Épp akkor csöppentem bele, amikor az üzlet egyre vadabbá vált.

A legtöbb dél-amerikai országban kezdett nemzeti sporttá válni az emberrablás váltságdíjért. Ha valaki gazdag volt vagy politikai kapcsolatokkal rendelkezett, automatikusan célponttá vált. Brit és amerikai vállalatok voltak az ügyfeleim, amelyeknek többek között Panamában, Brazíliában és Kolumbiában dolgoztak a komolyabb pozíciót betöltő embereik, akiket végtelenül tehetősnek és a politikához közel állónak tartottak. Gazdagnak tűntek, hiszen a munkáltatójuk minden valószínűség szerint kifizette értük a váltságdíjat, és ezek a cégek százmilliárdok felett rendelkeztek. A politikai kötődés is egyértelmű volt, mert a nyugati kormányok végül mindig bevonódtak a folyamatba. Micsoda remek érzés lehet ez egy rossz fiúnak, aki bár a dzsungelben, valahol egy tisztáson ücsörög, közben a Downing Street 10. alatt vagy a Fehér Házban hallgatják a követeléseit!

De sosem veszítettem el egyetlen ügyfelet sem. Jó szakember voltam, és jó ügyfeleim voltak. Mindannyian tudták, mit kockáztatnak. Együttműködtek velem. Engedelmesek és kötelességtudóak voltak. Csak le akarták tudni a két évüket a kánikulában, hogy aztán élve térhessenek vissza a központi irodába, és megkapják az előléptetésüket. Nem feltűnősködtek, nem jártak el éjszaka, nem igazán mentek sehová az irodán kívül, csak ha a munka szólította őket máshová. Mindig védett járműben, a lehető leggyorsabban, folyton változó útvonalakon és kiszámíthatatlan időpontokban közlekedtek. Sosem panaszkodtak. Ez volt a munkájuk, és ezért hajlandóak voltak már-már katonai fegyelmet elfogadni. Az egész viszonylag könnyű volt, egy darabig.

Aztán átmentem magánba.

A pénz jobb volt. A munka rosszabb. Megtanultam távol tartani magam azoktól, akik pusztán státuszszimbólumként akartak testőrt. Rengeteg ilyen volt. Szenvedtem tőlük, mert egy efféle ügyfél mellett alapvetően nem akadt tennivaló. Sokszor egyszerű futárkodás lett a vége, miközben a készségeim koptak. Azt is megtanultam, hogyan kerüljem el azokat, akiket nem fenyegetett valós veszély. London veszélyes város, New York még annál is rosszabb, de valójában egyik helyen sincs senkinek szüksége testőrre. Ilyen esetben nincs érdemi feladat. Unalmas és leépítő. Készséggel bevallom, hogy a saját kockázatfüggőségem irányította a döntéseimet.

Akkor is, amikor elhatároztam, hogy Annának fogok dolgozni. Még most sem vagyok felhatalmazva arra, hogy a teljes nevén említsem. Ezt is tartalmazta a szerződésem, amely a hálalomig köt. Egy barátom barátjától hallottam az üresedésről. Párizsba reptettek az interjúra. Kiderült, hogy Anna huszonkét éves, hihetetlenül csinos, kreol bőrű, karcsú, titokzatos nő. Meglepett, hogy ő maga interjúztatott. Ilyen esetekben a legtöbbször az apa intézi a dolgokat. Hiszen testőrt alkalmazni ugyanolyan, mint egy Mercedes kabriót venni születésnapi ajándékképpen, vagy leszervezni a lovaglóórákat.

De Anna más volt.

Ő a saját jogán volt gazdag. A család egy külön ágától örökölt. Azt hiszem, tulajdonképpen tehetősebb volt, mint az örege, aki eleve dúsgazdag volt. Az édesanyja is jómódú volt, ő is külön vagyonnal bírt. Brazilok voltak. Az édesapa üzletember és politikus, az édesanya pedig helyi tévésztár. Tengernyi pénz, kapcsolatok, Brazília: tripla csapás.

Nem lett volna szabad elvállalnom.

De nem sétáltam el. Azt hiszem, tetszett a kihívás. És Anna is rabul ejtett. Nem mintha helyénvaló lett volna közelebbi kapcsolatba kerülnöm vele. Ő ügyfél volt, én pedig közel kétszer annyi idős. De az első pillanattól fogva tudtam, hogy szórakoztató lesz a közelében lenni. Az interjú jól ment. Készpénznek vette a hivatalos képesítéseimet. Voltak sebhelyeim, kitüntetéseim, ajánlásaim. Sosem veszítettem el ügyfelet. Ha nem így lett volna, természetesen nem is állt volna szóba velem. Kikérdezett a világnézetemről, a beállítottságomról, az ízlésemről és a kedvenc dolgaimról. Érdekelte, összeillünk-e. Egyértelműen érződött, hogy vett már fel testőröket korábban is.

Megkérdezte, mennyi szabadságot hagynék neki.

Elmondta, hogy jótékonysági munkát végez Brazíliában. Emberi jogok, szegények segélyezése, a szokásos. Hosszú órákig, akár napokig is tartó utak a szegénynegyedekben vagy a távoli dzsungelben. Meséltem neki a korábbi dél-amerikai ügyfeleimről. A vállalati alkalmazottakról, az olajtársaságoknál dolgozókról, az ásványkitermelőkről. Elmondtam neki, hogy minél kevesebbet mozdultak ki, annál nagyobb biztonságban voltak. Leírtam egy átlagos napjukat: lakás, autó, iroda, autó, lakás.

Erre nemet mondott.

– Meg kell találnunk az egyensúlyt – jelentette ki.

Portugál volt az anyanyelve, és jól, de enyhe akcentussal beszélt angolul. Hallgatni még jobb volt, mint ránézni, pedig gyönyörű volt. Nem úgy öltözködött, mint azok a gazdag lányok, akik hétköznapi ruhákat hordanak. Semmi szakadt farmer. Az interjúra egy egyszerű fekete nadrágot és fehér blúzt vett fel. Mindkét ruhadarab újnak tűnt, és biztos voltam benne, hogy egyenesen egy párizsi butikból származnak.

– Válasszon egy számot! – mondtam. – Ha a nap huszonnégy órájában a lakásában tarthatom, százszázalékosan garantálom a biztonságát. Vagy lehet száz százalékig veszélyben egész nap Rió utcáit járva.

– Hetvenöt százalék biztonság – felelte. Aztán megrázta a fejét. – Nem, nyolcvan.

Tudtam, mit akar mondani. Félt, de azért élni akarta az életét is. Nem gondolkodott reálisan.

– Nyolcvan százalék azt jelenti – feleltem –, hogy hétfőtől csütörtökig életben lesz, és pénteken meghal.

Csendben maradt.

– Maga elsődleges célpont. Gazdag. Az édesanyja, az édesapja is tehetős, ráadásul az utóbbi politikus. Maga lesz a legtökéletesebb célpont Brazíliában. És az emberrablás zűrös dolog. Általában balul sül el. Tulajdonképpen egyenértékű a gyilkossággal, csak nem azonnal hal meg az áldozat, hanem valamivel később.

Továbbra sem felelt.

– És néha kifejezetten kellemetlen – folytattam. – Pánik, stressz, elkeseredettség. Nem aranykalitkában tartanák fogva. Egy őserdei kunyhóban lenne bezárva egy halom gonosztevővel.

– Én nem akarok aranykalitkát – szólalt meg végre. – És maga ott lesz.

Tudtam, mit akar mondani. Huszonkét éves volt.

– Megteszünk majd minden tőlünk telhetőt – válaszoltam.

Ott és akkor felvett. Előleget is adott az igencsak nagylelkű fizetségből, és megkért, hogy írjak egy listát arról, mire van szükségem. Fegyverek, ruhák, autók. Én nem kértem semmit. Úgy véltem, minden megvan, ami kell. Azt hittem, tudom, mit csinálok.

Egy héttel később már Brazíliában voltunk. Végig első osztályon repültünk: Párizsból Londonba, Londonból Miamiba, Miamiból Rióba. Én választottam az útvonalat. Nem közvetlen, nem kiszámítható. Tizenhárom óra a levegőben, öt óra terminálokban. A lány kellemes útitárs volt és együttműködő ügyfél. Megkértem egy barátot, hogy vegyen fel bennünket Rióban. Annának megvolt rá a kerete, ezért úgy döntöttem, mindig lesz külön sofőrünk is, hogy jobban tudjak összpontosítani a feladatomra. Egy orosz srác lett az, akivel Mexikóban találkoztam. Ő volt a legügyesebb sofőr, akit valaha ismertem. Az oroszok remekül bánnak az autókkal. Muszáj nekik. Riónál csak egy kegyetlenebb hely létezik a világon, és az Moszkva.

Annának saját lakása volt. Én egy külvárosi, kerítéssel védett házra számítottam, de ő egyenesen a város szívében lakott. Bizonyos szempontból ez még jónak is bizonyult. Egyedül az utcáról nyílik bejárat, van portás és házmester, rengeteg szem figyeli a látogatót, még mielőtt a liftig elérne. Az acélból készült, három ponton záródó lakásajtó mellé kamerás kaputelefon volt felszerelve. Sokkal jobban kedvelem a kamerás kaputelefonokat, mint a kukucskálókat. Tegyük fel, hogy valaki kint vár a folyosón, és amint észreveszi, hogy a lencse elsötétült, máris tüzet nyit egy nagy kaliberű kézifegyverrel! A lövedék átüti a kukucskálót, majd a szemeden és az agyadon át a koponyádat, és ha az ügyfél történetesen mögötted áll, neki is vége.

Úgyhogy ez egy kedvező alaphelyzet. Az orosz barátom az épület alatti garázsban parkolta le az autót, ahonnan a lift egyenesen felvitt a lakáshoz. Belépve mindhárom zárat aktiváltam, és berendezkedtünk. Az én szobám a bejárat és Anna szobája között húzódott. Éberen alszom. Minden rendben ment.

És minden rendben is volt nem egészen huszonnégy órán át. Az időeltolódás korán ébresztett bennünket. Ilyen az, ha nyugatra utazik az ember. Már hétkor mindketten fenn voltunk. Anna étteremben akart reggelizni, majd vásárlást tervezett. Én hezitáltam. Az első döntés megadja az alaphangot. Mivel azonban a testőre voltam, nem pedig a börtönőre, beleegyeztem. Reggeli, majd vásárlás.

A reggeli simán ment. Elkocsikáztunk egy szálloda éttermébe, és hosszan, komótosan ettünk. A hely zsúfolásig volt testőrökkel. Akadt köztük igazi és látszat is. Volt, aki külön asztalnál evett, volt, aki az ügyfelével. Én Annával reggeliztem. Gyümölcs, kávé, croissant. Neki jobb étvágya volt, mint nekem. Tele volt energiával, és alig várta, hogy induljunk.

Minden a vásárlásnál csúszott el.

Később jöttem rá, hogy az orosz barátom árult el pénzért. Elvégre általában az első nap a legegyszerűbb. Ki tudja egyáltalán, hogy a városban vagy? De az én barátom nagyon jól időzíthetett egy telefonhívást. Amikor Annával kijöttünk egy üzletből, az autónk nem parkolt a járdaszegélyen. A csomagok Annánál voltak. Már az elején tisztáztuk, hogy ő fogja vinni a saját dolgait. Testőr vagyok, nem hordár, és muszáj, hogy a kezem szabad legyen. Balra pillantottam, és nem láttam semmi gyanúsat. Aztán jobbra néztem, és megakadt a tekintetem négy fegyveresen.

A támadók közel voltak hozzánk, és a vadonatúj, kicsi, fekete, automata fegyvereiken még harmatként csillogott az olaj. A férfiak is kicsik, gyorsak és szívósak voltak, az utca pedig zsúfolt. Tömeg mögöttem, tömeg mögöttük, balra forgalom, jobbra az üzlet bejárata. Ha most elővenném a fegyverem és tüzelni kezdenék, biztosan járulékos veszteséget jelentene. Az elhúzódó kézifegyveres konfliktus mindig sok eltévedt lövedékkel jár, magas lenne az ártatlan áldozatok száma.

És egyébként is, veszítettem volna.

Négy az egy elleni csatákat megnyerni kizárólag a moziban lehet. Az én munkám az volt, hogy ha csak még egy napra vagy még egy órára is, de Annát életben tartsam. A támadók nekünk estek, elvették a fegyverem, Annát pedig a táskáitól fosztották meg, és karon ragadták. Ekkor egy fehér autó húzódott mellénk, és betuszkoltak bennünket. Először Annát, aztán engem. A hátsó ülésen két férfi szorított minket középre két oldalról, miközben fegyvert nyomtak a bordáink közé. Egy másik pasas az első ülésről fordult hátra, hogy ő is pisztolyt szegezzen ránk. A sofőr hirtelen taposott a gázba. Egy perc múlva már a mellékutcák útvesztőjében jártunk.

Nem volt igazam az őserdei kunyhót illetően. Egy elhagyatott irodaházhoz vittek, még a város határain belül. A téglaépület piszkosfehérre volt festve. A gonosztevőkkel kapcsolatban azonban nem tévedtem. Dugig volt velük a hely. Egy komplett sereg tartózkodott bent, legalább negyvenen voltak. Mind koszos és barbár, a legtöbben nyíltan csorgatták a nyálukat Annát látva. Reméltem, hogy nem különítenek el bennünket egymástól.

Persze azonnal elválasztottak tőle. Belöktek egy cellába, ami egykor iroda lehetett. Vastag vasrács volt az ablakon, és nagy zár az ajtón. Egy ágy és egy vödör. Ennyi. Az ágy fémcsövekből összeeszkábált kórházi fekhely volt. A vödör üresen állt, de minden bizonnyal csak nemrég ürítették ki. Bűzlött. A kezemet hátrabilincselték, a bokáimat összeláncolták, és lelöktek a földre. Három órára magamra hagytak.

Aztán elkezdődött a rémálom.

Zörrent a zár, kinyílt az ajtó, és belépett egy férfi. Úgy tűnt, ő a főnök. Magas, sötét bőrű fickó széles, mosolytalan, aranyfogakkal teli szájjal. Kétszer bordán rúgott, majd elmagyarázta, hogy ez egy politikai célból elkövetett emberrablás. Mellékesen némi pénzügyi nyereségre is számítanak, de elsődlegesen arra törekszenek, hogy Annát eszközként felhasználva elérjék a politikus édesapjánál, hogy leállítson egy kormányzati nyomozást. Anna volt az inguljjba rejtett aduász. Ellenben én feláldozható vagyok. Néhány órán belül megölnek, de semmi személyes, közölte a pasas. Aztán még azt is hozzátette, hogy olyan halálmódot választanak, amely szórakoztatja majd az embereit. Nagyon unatkoznak, és tartozik nekik egy kis mulatsággal. Úgy tervezte, engedi nekik eldönteni, pontosan mi legyen a vesztem. Aztán ismét magamra hagyott.

Jóval később megtudtam, hogy Annát egy hasonló szobába zárták két emelettel feljebb. Őt nem bilincselték vagy láncolták meg. Odabent szabadon mozoghatott, mégiscsak fontos személy volt. A berendezés alapvetően ugyanolyan volt az ő szobájában is. Egy kórházi vaságy, viszont semmi vödör. Neki rendes fürdőszoba járt, és egy asztal meg egy szék. Éheztetni sem akarták. Értékes volt a számukra.

És bátor volt.

Ahogy rázárták az ajtót, ő azonnal nekilátott fegyvert keresni. Először a szék merült fel benne lehetőségként. Esetleg összezúzhatja a mosdókagylót a fürdőben, és a porcelánszilánkot pengeként használhatja. De ő ennél jobbat akart. Az ágyra esett a pillantása. Lapított végű vascsövekből volt összecsavarozva. A vékony matracot csíkos anginvászon fedte. Anna lerántotta a matracot az ágyról a földre. Alatta két hosszú cső közé egy fémháló volt kifeszítve. Mindegyik csövet egy csavar tartotta a végein.

Ha az egyiket ki tudná szabadítani, lenne egy kétméteres lándzsája. De az ágykeret festett volt, és a csavarok alaposan beleszorultak. Próbálta elforgatni őket az ujjaival, de reménytelennek tűnt. Hőség volt odabent, és az izzadságtól csúszott a keze. Visszatette a matracot, és az asztalra kezdett összpontosítani.

Az asztal négy lábból és egy körülbelül egy négyzetméter nagyságú furnérlemezből állt, amelynek a szélén, mint egy terítő, egy merev lemez futott körbe. Ha felfordítanánk, úgy nézne ki, mint egy nagyon lapos doboz. A lábakat a merev lemezhez erősített, szögletes vaspántokhoz csavarozták. A csavarok olcsó vasból készültek, kissé rezes volt a színük. Az anyacsavar szárnyas anya volt, könnyedén el lehetett csavarni kézzel is. Anna kilazította az egyik lábat, aztán elrejtette a csavart és az anyát.

De a lábat ott hagyta a helyén, az továbbra is függőlegesen állt az asztallap alatt.

Aztán visszaült az ágyra, és várt.

Egy óra múlva lépéseket hallott a folyosón. Hallotta, ahogy fordul a zár. Egy férfi lépett a szobába, étellel teli tálcával a kezében. Fiatal volt. Feltehetőleg a ranglétra alján állt, ha konyhai feladatot bíztak rá. Az övén fegyver lógott. Egy nagy, szögletes, vadonatúj fekete automata pisztoly.

Anna felállt, és azt mondta:

– Inkább az ágyra tegye a tálcát! Azt hiszem, az asztallal van valami gond.

A férfi letette a tálcát a matracra.

– Hol van a barátom? – kérdezte Anna.

– Milyen barátja?

– A testőröm.

– A szobájában – felelte a férfi. – De már nem sokáig. Elég hamar lent találja majd magát a földszinten, hogy elszórakozzunk vele egy kicsit.

– Miféle szórakozás lesz az?

– Nem tudom. De biztosan valami fantáziadús dolog.

– Egy játék?

– Nem egészen. Meg fogjuk ölni.

– Miért?

– Mert nincs rá szükségünk.

Anna nem mondott semmit.

– Mi a baj az asztallal? – kérdezte a fiú.

– Az egyik lába kilazult.

– Melyik?

– Ez – felelte a lány, és kikapta a lábat a helyéről. Lendített egyet rajta, mint egy baseballütőn, és egyenesen arcon találta a fickót. Az asztalláb széle az orrnyergénél érte, és beletolt egy csontszilánkot az agyába. Halott volt, még mielőtt földet ért volna. Anna leszedte a mozdulatlan testről a fegyvert, átlépett rajta, és kisétált az ajtón.

A pisztoly oldalán *Glock* felirat állt. Nem volt rajta biztonsági zár. A lány, ujját a ravaszra csúsztatva, kilépett a folyosóra. A *földszinten,* ezt mondta a fiú, mielőtt meghalt. Anna talált egy lépcsőházat, és elindult lefelé, meg sem állt egy pillanatra sem. Addigra engem már behurcoltak egy nagy, földszinti terembe. Talán konferenciákat rendezhettek itt egykor. Harminckilenc ember volt bent. Volt egy kis emelvény is két székkel. Az egyik széken a főnök ült. Engem lenyomtak a másikra, és elkezdtek valamit portugálul megvitatni. Gondolom, arról, hogyan öljenek meg a lehető legélvezetesebben. Még nem végeztek a vitával, amikor a terem végében kinyílt egy ajtó. Anna lépett be rajta, egy nagy kézifegyvert lóbált maga előtt. Késlekedés nélkül érkezett a válasz. Harmincnyolc férfi egyszerre húzta elő a fegyverét, és szegezte a lányra.

Csak a főnök nem. Helyette figyelmeztetően felordított. Nem beszéltem a nyelvüket, de tudtam, mit mondott. *Ne lőjetek! Élve kell nekünk! Nagyon értékes a számunkra!* A harmincnyolc férfi egyszerre engedte le a fegyverét, és nézték, ahogy Anna átsétál közöttük. A lány odaért az emelvényhez. A főnök mosolygott.

– Abban a fegyverben tizenhét töltény van – mondta. – Mi harminckilencen vagyunk. Nem tudsz mindannyiunkat lelőni.

– Tudom – felelte Anna. Aztán maga felé fordította a fegyvert, és a mellkasához nyomta. – De magamat lelőhetem.

Ezután már könnyen ment a dolog. Levetette velük a bilincseimet és a láncaimat. Elszedtem egy fegyvert a legközelebb álló pasastól, és kihátráltunk a teremből. Megúsztuk. Nem az mentett meg bennünket, hogy a fogvatartóink fenyegetve érezték az életüket. Az húzott ki bennünket a slamasztikából, hogy Anna öngyilkossággal fenyegetőzött, miközben én fedeztem. Öt perccel később egy taxiban ültünk. Harminc perccel később már otthon voltunk.

Egy nappal később otthagytam a testőrbizniszt. Jelnek vettem, ami történt. Ha a saját ügyfelednek kell megmentenie, nincs jövőd ebben az iparágban. Csak ha látszattestőr lesz belőled.

A világ legnagyobb trükkje

Képes lettem volna ezer méterről úgy fülön lőni téged, hogy a golyó a másik füleden távozik. Elsétálhattam volna melletted a tömegben, és te addig észre sem vetted volna, hogy elvágtam a torkod, amíg a fejed le nem biccent volna, hogy aztán a testedtől elválva guruljon végig az utcán. Miattam ellenőrizted esténként aggódva az összes zárat az ajtón, hogy aztán amikor felmész az emeletre lefeküdni, engem találj odafent, hiszen már ott várok rád a sötétben, a komódnak támaszkodva.

Én voltam az a fickó, aki mindig mindennek megtalálja a módját.

Én voltam az a fickó, akit nem lehet megállítani.

De ennek most vége, azt hiszem.

Egyik ötletem sem volt eredeti. A legjobbak módszereit tanulmányoztam még régen. Mindannyiuktól ellestem valamit. Egy mozdulatot innen, egy másikat onnan, és ezeket ötvöztem. Az összes csel a tarsolyomban volt. Többek közt a világ legnagyobb trükkje is, amelyet egy Ryland nevű embertől tanultam. A régi szép időkben Ryland mindenfelé dolgozott, de főleg olaj, fehér por, pénz, lányok, esetleg nagy tétekkel kecsegtető szerencsejáték közelében bukkant fel. Aztán megöregedett, és lassacskán visszavonult. A végén felfedezte magának a házasságpiacot. Lehet, hogy ő találta ki az egészet, bár ezt kétlem. Viszont minden bizonnyal finomított rajta. Komoly üzletet épített fel rá. Jó helyen volt jó időben. Épp akkor kezdett el megöregedni és lelassulni, amikor az összes kaliforniai ügyvéd a válásokból akarta megszedni magát. Épp akkor, amikor a férfiak a világ minden táján kezdtek ettől egyre idegesebbé válni.

Az elmélet egyszerű volt: az élő feleség ügyvédhez megy, a halott feleség azonban nem megy sehová, legfeljebb a temetőbe. Gond megoldva. Egy halott feleség persze bizonyos szintig felkelti a rendőrség érdeklődését, de Ryland olyan körökben mozgott, ahol a férfiakat ezerszer boldogabbá tette egy rendőr telefonhívása, mint egy ügyvédé. A rendőrnek a gyász miatt nagyon óvatosan kell kezelnie az ügyet, és általánosan elfogadott előítélet, hogy nem a fakabátok a legélesebb kések a fiókban. Ellentétben az ügyvédekkel, akiknek borotvaéles az eszük. És persze a Ryland-féle alakok legnagyobb vonzereje abban rejlett, hogy bizonyíték nem igazán maradt utánuk. Ha Ryland iktatta ki az asszonyt, az általában felért egy lottónyereménnyel, ez nem vitás.

Ryland keményen dolgozott. Mindent leellenőrzött: mikrofilmeket, egyesült államokbeli, közép- és dél-amerikai újságokat. Végignézte Európát, Németországot, Olaszországot, minden olyan helyet, ahol tetemes vagyonok forogtak kockán. Utánajárt, mennyi nő tűnt el, hány évesek voltak, és mennyi ideig voltak előtte házasok. Azután felkutatta az összes utósztorit, a belső aktákat, a legutóbbi jogszabályokat, és megvizsgálta, mennyi utalást talál kibontakozó házassági viszályokra. Ha mindent végignézel, számodra is felsejlik egy mintázat.

A zsaruk is látták ezt, persze. De Ryland szellemként dolgozott. Túlélt mindent: olajat, drogot, uzsorát, prostituáltakat és szerencsejátékot. Majd pont kapzsi férjek és unatkozó feleségek miatt kapcsolják le? Ennek halvány esélye sem volt. Virágzott az üzlet, és lefogadom, hogy egyetlen rendőrségi aktában sem szerepelt a neve. Sehol, egyszer sem. Ennyire jó volt.

Akkoriban még nem szaporodtak el úgy a milliárdosok. Százmillió számított a küszöbnek. Százmillió alatt szegénynek számítottál, százmillió fölött tisztelet övezett. Százmilliót neveztek egy egységnek, Ryland legtöbb ügyfele pedig három vagy négy egységet ért. És Ryland észrevette, hogy a gazdag férj gazdag feleséget is jelent. Persze a feleségek nem úgy számítottak gazdagnak, mint a férjeik. Nem bírtak saját egységgel, de költekezhettek. Ryland szerint egyértelműen azért látták el a nőket bankszámlákkal és hitelkártyákkal, mert a három-négy egységnyit érő pasik nem szerettek hat számjegy alatti, jelentéktelen dolgokkal bajlódni.

Ryland sem ment hat számjegy alá.

És észrevette, hogy a vér, amelyet kiontott, nercbundákra, gyémánt nyakékekre, párizsi ruhákra és Mercedes Benzekben lévő, lélegző bőrülésekre fröccsent. Idővel elkezdett pénztárcák után kutatni. A legtöbb erszényben vaskos csekkfüzetet és platinumkártyákat talált. Persze nem lopott el semmit. Az végzetes lett volna, és butaság is, Ryland pedig egyáltalán nem volt buta. Viszont komoly képzelőerővel rendelkezett.

Legalábbis ezt állította.

Azt gyanítom, hogy az egyik hölgy szolgáltathatta neki az ötletet, az átlagnál bátrabb fajtából. Talán amikor a kiszemelt áldozat kezdett rájönni, hogy mi készülődik, bedobott egy ellenajánlatot. Szerintem így kezdődhetett az egész. A nő annyit mondhatott:

– Az a szemét patkány! Megfizetem, hogy inkább őt nyírd ki.

Ez felkelthette Ryland érdeklődését. Bármi, ami növelte a bevételét, érdekelte. Ugyanazzal a hipersebességgel futtathatta le a számítást a fejében, mint amivel, mondjuk, egy pisztolygolyó pályáját kalkulálta ki, vagy amivel kockázatfelmérést végzett. *Ez a tyúk megengedhet magának egy hat számjegyű kabátot, tehát biztosan belefér neki egy hat számjegyű lövés is,* gondolhatta magában.

Így született meg a világ legnagyobb trükkje: egy munkáért két fizetség.

Ryland azután mesélt erről, hogy rákos lett, és én ezt afféle beavatásnak vettem. Kijelölte az utódját. Átadta a karmesteri pálcát. Azt akarta, hogy én legyek az új Ryland, amit a legkevésbé sem bántam. Úgy vettem, hogy ez egy kimondatlan egyezség arról is, hogy nem hagyom túl sokáig szenvedni. Ezzel sem volt gondom. Addigra már gyenge volt. Őrülten ellenállt a párnának, de elég hamar abbamaradt a kapálózás. És íme: a régi

Ryland elment, az új Ryland pedig friss energiával vágott bele a munkába.

Az első küldetés egy testes negyvenes volt a németországi Essenből. Az acélbáró nemrégiben ráunt a feleségére. Az én zsebembe vándorló százassal akarta megspórolni azt a százmilliót, amit a nőnek kellett volna fizetnie. A régi módszer szerint persze még azelőtt érdemes lecsapni, hogy a nő rájönne, te egyáltalán létezel. Korábban ez volt a jól elvégzett munka védjegye.

De már nem.

Elmentem a nővel Gstaadba. Nem vele utaztam, csak másnap bukkantam fel. Kicsit megismerkedtünk. Egy tehén volt. Boldogan megöltem volna akár ingyen is, de nem tettem. Beszélgettem vele. Úgy irányítottam a társalgást, hogy eljusson arra a pontra, amikor kimondja:

– A férjem szerint túl öreg vagyok.

Aztán a pillái alól felnézett rám. A szokásos megerősítést várta. Mekkora baromság! Azt akarta hallani tőlem, hogy: „Maga? Túl öreg?! Hogy gondolhat bárki ilyet egy ennyire gyönyörű nőről?"

De én nem ezt válaszoltam.

Helyette csak ennyit mondtam:

– Meg akar szabadulni magától.

A nő kérdésnek vette a kijelentésemet.

– Igen, azt hiszem – felelte.

– Én biztosan tudom. Pénzt ajánlott nekem, hogy megöljem magát – folytattam.

Gondoljuk csak végig! Vajon hogyan reagál erre? Nem sikított. Nem rohant azonnal a svájci rendőrökhöz. Az első reakció a színtiszta döbbenet volt, amelynek csendjére élete valószínűleg eddigi legnagyobb meglepetésének súlya nehezedett. Az első kérdéssel persze még csak tapogatózott:

– Maga bérgyilkos?

Tudta, hogy léteznek ilyenek. Régóta élt a férje világában. A férje szerint túl régóta is. Aztán végül természetesen érkezett az elkerülhetetlen kérdés:

– Mennyit ajánlott magának?

Ryland azt mondta, túlozzak egy kicsit. Szerinte valamiféle beteg örömöt jelent az áldozatnak, ha nagyobb számot hall. Fonák módon még utoljára azt érezheti, hogy szükség van rá. Persze nem, de legalább sokba kerül megszabadulni tőle. Ez is egyfajta státusz.

– Kétszázezer amerikai dollárt – feleltem.

A kövér esseni kurva felfogta, amit hallott, aztán elindult a rossz úton:

– Adhatok ugyanennyit, hogy ne tegye meg.

– Az nálam nem megy – mondtam. – Nem hagyhatok egyetlen munkát sem elvégezetlenül. A férje elmondaná másoknak, és akkor lőttek a jó híremnek. A magamfajtának nincs semmije, csak a jó híre.

Gstaad alkalmas hely volt a beszélgetésre. Elszigetelt, olyan másvilági. Mintha csak ő és én lettünk volna ezen a bolygón. Melléültem, és próbáltam együttérzést sugározni, mint egy fogorvos, mielőtt belefúr egy fogba. *Sajnálom, de ennek meg kell történnie.* Lassan ugyan, de kezdett feléledni benne a düh. Végül rátalált a helyes útra.

– Maga pénzért dolgozik – mondta.

Én bólintottam.

– Annak dolgozik, aki megfizeti a díjat – folytatta.

– Mint egy taxis – szúrtam közbe.

– Fizetek magának, hogy ölje meg – fejezte be.

Ott volt a düh, természetesen, de szépen lassan a pénzügyi megfontolások is beúsztak a képbe. Alapvetően tökéletes ellentétét képezték mindannak, amit előző héten a férj agyában megfogalmazódni láttam. Az ilyen emberek esetében minden összefoglalható négy szóban: minden pénz az enyém.

– Mennyi? – kérdezte.

– Ugyanannyi – válaszoltam. – Kétszáz kiló.

Svájcban voltunk, ami megkönnyítette a banki ügyintézést. Támogatólag elkísértem, és végignéztem, ahogy kivett kétszázezer friss és ropogós amerikai dollárt valamelyik európai bank központi fiókjából, majd a kövér, rózsaszín mancsával átadta nekem a pénzt. Aztán magyarázni kezdte, hogy hol lesz a férje, és mikor.

– Tudom, hol van – jegyeztem meg. – Megbeszéltünk egy találkozót, hogy kifizessen.

A nő felkacagott a helyzet iróniáján. Nem volt buta. Garantált hozzáférés az áldozathoz: ez volt Ryland ötletének a legnagyobb erőssége.

Elmentünk kettesben sétálni egy olyan hófödte ösvényre, amelyet a síelők nem vettek gyakran igénybe. Ott öltem meg. Eltörtem a nyakát, és olyan testhelyzetben hagytam, mintha megcsúszott és elesett volna. Aztán visszavonatoztam Essenbe, és elmentem a férjjel megbeszélt találkozóra. A férfi egyértelműen nagyon odafigyelt, hogy a találkáink titokban maradjanak. Olyan helyen futottunk össze, ahová különben sosem járt. Egyedül volt, senki nem láthatott meg bennünket. Begyűjtöttem tőle is a díjazásomat, majd megöltem. Egy hangtompítós 22-essel lőttem fejbe. Az olyanok számára, mint Ryland és én, ez alapelv: ha kifizettek, le kell szállítani a melót.

Szóval dupla gázsi. És az acélmágnás vagyonán civakodó örökösök maguk is engem fognak majd hívni, méghozzá nem is olyan sokára. Minden pénz az enyém.

Ez így ment két éven át. Mikrofilm és újságok. Észak-Amerika, Közép-Amerika, Dél-Amerika, egész Európa. A zsaruk habzó szájjal beszéltek az anarchistákról, akik gazdag párokat vesznek célba. Ez volt a másik erőssége Ryland ötletének: a kibogozhatatlan motiváció.

Aztán kaptam egy ajánlatot Brazíliából. Kissé meg is lepődtem. Az ottani válási jogszabályokat valamiért régimódinak és hagyományosnak képzeltem. Nem gondoltam, hogy van olyan brazil fazon, akinek az én segítségemre lenne szüksége. De valaki felvette velem a kapcsolatot, és nem sokkal később már szemtől szemben találtam magam egy pasassal, akinek jelentős vagyona származott ásványlelőhelyekből, és volt egy színésznő felesége, aki megcsalta. A férfit ez halálosan bántotta. Talán ezért hívott engem. Tulajdonképpen nem volt szükséges ez a lépés a részéről. De akarta.

Gazdag volt, és dühös, ezért megdupláztam a szokásos díjamat. Nem okozott neki problémát. Elmagyaráztam, hogyan zajlik majd a dolog. Fizetnie az esemény után kell egy diszkrét helyen. Garantáltan meg lesz elégedve. Ezután tájékoztatott, hogy a felesége egy hosszabb hegyi vonatúton, egy privát szalonkocsis utazáson vesz majd részt. Ez nem jelentett jót, elvégre egy vonaton nincsen bank. Ezért aztán úgy döntöttem, most az egyszer nem alkalmazom Ryland trükkjét, hanem a régi utat választom. A hagyományos, egyirányú módon járok el. Megnéztem a térképet, és láttam, hogy fel tudok szállni később, és le tudok szállni hamarabb. Mire a vonat befut Rióba, a feleség holtan fekszik majd a hálókocsijában, én pedig addigra már messze járok.

Megnyugtató volt arra gondolni, hogy most az egyszer a régi módszerrel dolgozom majd.

Kiszúrtam a nőt a vonaton, és a háttérben maradtam. De a távolból is jól láttam a gyűrűt az ujján. Óriási kő volt benne. Akkora gyémánt, hogy kifogyhattak a számokból, amikor meg akarták mérni, hány karátos.

Ott viselte a bankot az ujján.

Elméletben lekövethető ugyan, de Amszterdam, Johannesburg vagy a Sierra Leone-i Freetown bizonyos részein átjuttatva nyoma vész majd. A vámpontokon okozhat gondot, de le tudom nyelni.

Elindultam.

Gyönyörű nő volt. A bőre, mint a levendula és a méz keveréke. Ragyogóan fekete, hosszú haj, tengerkék szem, hosszú láb, darázsderék, a blúzból kibuggyanó kebel. Leültem a vele szemközti karosszékbe, és annyit mondtam:

– Üdvözlöm!

Azt gondoltam, hogy egy efféle csalfa nő legalább vet majd rám egy pillantást. Vadak a vonásaim: néhány sebhely, kalandokról árulkodó fésületlenség. Pénzre nem volt szüksége, elvégre ahhoz ment feleségül. Talán csak egy kis szórakozás hiányzott az életéből.

Eleinte remekül ment minden. Hamar találtam okot arra, hogy átüljek az asztal túloldalára, és a mellette lévő ülésre csússzak. Egy órába sem telt, és jócskán átadtuk magunkat a vonatozásnak. Ő kissé balra hajolt, én jobbra, és intim dolgokat osztottunk meg egymással a szélsüvítés és a kerékcsattogás zaja fölött. A házasságát éppen csak megemlítette, és gyorsan témát váltott. Én hoztam fel újra. Rámutattam a gyűrűjére, és kérdezősködtem róla. Az ujjait kitárta, akár egy tengericsillag, hogy közelről szemügyre vegyem a követ.

– A férjem adta nekem – mondta.

– Ez a legkevesebb – feleltem. – Szerencsés fickó.

– Inkább mérges – felelte. – Attól tartok, nem szoktam túl jól viselkedni.

Erre nem mondtam semmit.

– Az a gyanúm, hogy meg akar öletni – mondta.

És tessék! Elhangzott a mondat, amiért máskor olyan sokat küzdök. Azt kellett volna erre felelnem, hogy igen, meg akarja öletni, és már kezdhettem volna a tárgyalást. De nem feleltem.

– Valahányszor találkozom egy férfival, azt kérdezem magamtól, vajon ő lesz-e az – folytatta.

– Ezúttal igen a válasz – nyögtem ki végül.

– Tényleg? – kérdezte.

– Attól tartok – bólintottam.

– De van biztosításom – felelte.

Ismét felemelte a kezét, én pedig megint nem láttam semmi mást, csak a gyémántot. Nem hibáztatom magam, hiszen hatalmas volt, a tőr pengéje pedig rettentő vékony. Egyáltalán nem vettem észre, tényleg. A létezésével sem voltam tisztában egészen addig, amíg át nem vágott az ingemen, és bele nem karcolt a bőrömbe.

Aztán a nő meglepő erővel és súllyal dőlt a tőrnek. A penge hideg volt, és hosszú. Szokványos darab. Egyenesen keresztülhatolt rajtam, és odaszögezett az üléshez. A lány a tenyere alját használva keményen a helyére ütötte. Majd a nyakkendőmmel letörölte az ujjlenyomatokat a nyeléről.

– Viszlát! – mondta.

Felállt, és otthagyott. Képtelen voltam mozdulni. Egy centi jobbra vagy balra, és végem. Csak ültem, és éreztem, ahogy a terjedő vérfolt eléri az ágyékomat. Tíz perccel később még mindig csak itt ülök. Volt idő, amikor képes lettem volna ezer méterről úgy fülön lőni téged, hogy a golyó a másik füleden távozik. Vagy elsétálhattam volna melletted a tömegben, és te addig észre sem vetted volna, hogy elvágtam a torkod, amíg a fejed le nem biccent volna, hogy aztán nélküled guruljon végig az utcán. Én voltam az a fickó, aki miatt aggódva ellenőrizted esténként az összes zárat az ajtón, hogy aztán amikor felmész az emeletre lefeküdni, engem találj odafent, hiszen már ott várok rád a sötétben, a komódnak támaszkodva.

Én voltam az a fickó, aki mindig mindennek megtalálja a módját.

Én voltam az a fickó, akit nem lehetett megállítani.

De aztán találkoztam Rylanddel.

És most mindennek vége.

Tíz kiló

Az életben a legtöbb helyzet általában pocsékul szokott elsülni, de néha előfordul, hogy az öledbe pottyannak a dolgok. Nem gyakran, de épp elégszer ahhoz, hogy a kétségbeesés alábbhagyjon. Viszont ilyenkor nem szabad elhinni, hogy ez maga a megváltás. Az nem lenne helyénvaló. Az ilyen események nem rólad szólnak. A dolgok nem azért hullanak az öledbe, mert te jó vagy, hanem mert mások rosszak. És buták.

Egy pasas besétált egy bárba. Ez éppen úgy hangzik, mint egy vicc eleje, és valóban minden szempontból az volt, aminek látszott. Egy átlagos lebuj volt, az ajtóról pergett a festék, és nem volt kint tábla sem. Épp olyannak tűnt, mint az összes többi kocsma, ahová a magamfajták járnak. Én már helyet foglaltam a szokásos asztalomnál. Láttam, ahogy a fazon besétált. Ismertem, legalábbis abban az értelemben, hogy párszor láttam már itt, és így ő is tudott rólam, mert ha feltételezünk bizonyos mértékű kölcsönösséget az univerzumban, akkor ő körülbelül ugyanannyiszor láthatott már engem korábban. Én látom őt, ő lát engem. Nem voltunk barátok. Nem tudtam a nevét. Nem is kellett tudnom. Mindegy, hogy egy ilyen fazon milyen néven mutatkozik be, biztosan csak humbug. És az is holtbiztos, hogy én sem az igazi nevemet mondtam volna. Szóval mit jelentettünk egymásnak? Ismertük egymást látásból, azt hiszem. Pont annyira, hogy a rászakadó hatalmas slamasztikában éppen én legyek az a fazon, akivel hajlandó beszélni. Mint amikor két amerikai egy külföldi reptéren ragad. Valójában nem létező bizalmasságot feltételezel, és így könnyebb kiönteni a lelkedet. Olyan dolgokat mondasz el, amelyeket rendes esetben nem. És ez a pasas szolgált is ilyen történetekkel, az már biztos. Leült az asztalomhoz, és belekezdett egy jó hosszú sztoriba. Persze nem azonnal. Szüksége volt egy kis biztatásra.

– Minden rendben? – kérdeztem.

Nem válaszolt, én pedig nem erőltettem. Olyan volt ez, mint beindítani egy pár hónapja a garázsban álló autót. Nem fogod azonnal bőgetni a motort. Adsz neki egy kis időt, hogy bemelegedjen, nehogy tönkrevágd a karburátort vagy bármit, ami mostanság az autókban van. Türelmes vagy. Az én munkámban a türelem nagy erény.

– Kérsz egy italt? – kérdeztem.

– Heinekent – bólintott.

Azonnal tudtam, hogy valami nagyon lefoglalja a gondolatait. Egy ilyen pasas, ha italt ajánlasz neki, tutira valami drága és borostyánszínű piát kér, jobbára egy whiskyspohárban. Nem sört, az biztos. Tehát nem gondolkodott, nem mérlegelt. Én viszont igen.

Egy rövid szoknyás öreglány hozott két üveg sört: egyet neki, egyet nekem. A fazon felemelte a sajátját, nagyot húzott belőle, és visszatette. Láttam, hogy ráérzett, amint a friss kapcsolatunk dinamikája összetettebb irányt vett. Én meghívtam egy italra, tehát tartozott nekem egy beszélgetéssel. Ő elfogadta a jótékonykodó meghívást, tehát magának is tartozott azzal, hogy kijavítsa az önbecsülésén esett csorbát. Láttam, ahogy először magában gyakorolja a nyitómondatot, amivel előadhatja, mekkora játékos is ő valójában.

– Sosem lesz egyszerűbb – kezdte.

Fehér fickó volt, vékony, úgy harmincöt éves, egy kicsit kancsal, a hegyekben élő, kemény munkán edződött emberek belterjes generációinak sarja. A genetikai állománya a legszükségesebbekre korlátozódott: kar, láb, szem, száj. Semmi több. Ő is csak egy részecske volt, amely megfelelő ugyan, de teljes mértékben felcserélhető a körülbelül tízezer hozzá hasonló bármelyikével.

– Nekem mondod? – feleltem búsan, mint aki megérti a küzdelmét.

– Az ember szerencsét próbál – folytatta. – Szeretne előrébb jutni. Néha sikerül, néha nem.

Nem mondtam semmit.

– Először futárkodtam – lendült bele. – Még régebben. Tudod, hogy van ez.

Bólintottam. Nem meglepő. Négy mérföldre voltunk az egész országot észak–déli irányban átszelő 95-ös úttól, és itt mindenki futárkodással kezdte. Kokainszállítás Miamiból vagy Jaxből, egészen fel északra, New Yorkig vagy Bostonig. Bárki, akinek elfogadható kinézete és nem túl feltűnő járműve volt, szállítani kezdett. Először csak egyetlen kiló került a csomagtartóba, aztán kettő, majd öt és tíz. Ha rászolgáltál a bizalomra, szépen díjazták a sikert, legfőképp ha képes voltál háborítatlanul végigmenni a New Jersey-i autópályán. A Jersey Állami Rendőrség volt akkoriban a legnagyobb mumus.

– Minden alkalommal simán, olajozottan ment – folytatta a fazon. – Sosem volt gondom. Soha.

– Akkor feljebb léptél – éltem a feltételezéssel.

– Eladásra váltottam – mondta.

Ismét bólintottam. Ez volt a logikusan következő lépés. Megmondták neki, hogy fogja az elfogadható kinézetét és a nem túl feltűnő járművét, majd forogjon velük bizonyos célkörnyékeken, ahol személyesen találkozhat bizonyos helyi terjesztőkkel. Így a lánc egy szemmel rövidebb lett. Kevesebb kézen ment át az áru, kevesebb kézbe került a készpénz. Nagyobb sebesség, nagyobb hatékonyság, jobb útvonal, kevesebb bizonytalanság.

– Kinek dolgoztál? – kérdeztem.

– A Martinez testvéreknek.

– Le vagyok nyűgözve – feleltem, amire ő kissé kihúzta magát.

– A végén már tisztán tíz kilót vittem egy alkalommal – dicsekedett tovább.

A söröm kezdett megmelegedni, de azért belekortyoltam. Tudtam, mi következik.

– Északra vittem a kokót, délre a pénzt – mondta.

Én nem feleltem semmit.

– Láttál te már ennyi pénzt? – kérdezte. – Úgy értem, igazából. *Láttál már ennyi pénzt?*

– Nem – válaszoltam.

– Még felemelni is nehéz. Sérvet lehet kapni egy ekkora doboztól.

Nem mondtam semmit.

– Két utat toltam le egy héten – mesélt tovább. – Állandóan úton voltam. Az aszfalthoz nőttem. És többtucatnyian voltunk.

– Összeadva rengeteg pénz – mondtam, mert szüksége volt arra, hogy én nyissak ajtót az újabb felismerésnek. Arra, hogy megértsem. Kellett neki a jóváhagyásom, hogy továbblépjen.

– Tengernyi – bólintott.

Hallgattam.

– Hát a pokolba is! – folytatta. – Annyi pénz, hogy már nem is jelentett nekik semmit. Hogy is jelentett volna? Majd belefulladtak!

– Az ember szerencsét próbál – mondtam.

A fazon nem válaszolt. Nem azonnal. Két ujjamat felemelve jeleztem a rövid szoknyás öreglánynak, és figyeltem, ahogy két újabb üveg Heinekent tesz egy parafa tálcára.

– Elvettem belőle valamennyit – mondta a srác.

Az öreglány odahozta nekünk a teli üvegeket, és elvitte a két üreset. Négy kört engedélyeztem magamnak, hogy ne legyen túl sokba nekem az este. Manapság mindenki művészi szinten húzza le az embert.

– Mennyit vettél el? – kérdeztem tőle.

– Hát az összeset! Annyit, amennyit tíz kilóért kapnak.

– És az mennyi?

– Egymillió. Készpénzben.

– Azta! – vágtam rá lelkesen, tisztelettel a hangomban. Mintha azt mondtam volna: *Ez igen, te aztán nem vagy semmi!*

– És megtartottam a cuccot is – mondta.

Csak meredtem rá.

– Bostonból – mondta. – Elég paranoiásak arrafelé. Külön helyen tartják a pénzt és a kokót. Na meg az egész város fel van túrva. Most úgy jelölték ki az utakat, hogy egyszerűbb először megkapni a pénzt, és csak utána leszállítani az árut. Egy idő után eléggé megbíztak bennem ahhoz, hogy ezt a sorrendet kövessük.

– De ez alkalommal felvetted a pénzt, és eltűntél, még mielőtt leszállítottad volna az árut.

Bólintott.

– Szép – feleltem.

– Azt mondtam a Martinez fiúknak, hogy kiraboltak.

– Hittek neked?

– Nem biztos – felelte.

– Az gond – mondtam.

– De miért lenne gond? – kérdezte. – Nem feltétlen az. Mennyi készpénz van most a zsebedben?

– Kétszáz meg egy kis apró – feleltem. – Épp most voltam az automatánál.

– És hogy éreznéd magad, ha leejtenél egy érmét, és az begurulna a csatornába? Egyetlen vacak cent?

– Valószínűleg nem zavarna – feleltem.

– Pontosan. Ez éppen olyan, mint amikor valakinek van kétszáz dollár a zsebében, és eltűnik egy cent a kanapé párnái között. Mennyire húz ez fel bárkit is?

– Azért ezekkel a fickókkal más a helyzet, náluk ez nem a pénzről szól – mondtam.

– Tudom – felelte.

Elhallgattunk, és ittuk a sörünket. Éreztem a szénsavat a fogaimon. Azt nem tudom, hogy az ő söre milyen lehetett. Valószínűleg egyáltalán nem is érezte az ízét.

– Van náluk ez a másik fazon – mondta. – Valami Octavian nevű. Ő szokott nekik nyomozni és intézkedni. El fog jönni értem.

– Van, hogy kirabolják az embert – mondtam erre. – Megesik az ilyen.

– Octavian állítólag baromi ijesztő. Hallottam róla durva dolgokat.

– De hát téged kiraboltak! Mit tehetne?

– Megbizonyosodhat róla, hogy valóban az igazat mondom-e. Ezt teheti. Azt hallottam, úgy tud feltenni kérdéseket, hogy az igazat akard válaszolni.

– Keménynek kell lenned. A kőből nem tud vért facsarni.

– Mutattak egy tolószékes srácot. Állítólag Octavian egy héten keresztül térdelve sétáltatta egy kavicsos úton. Úgy hívja, hogy tengerparti séta. Valószínűleg rettenetesen fáj. És a srác lábai elüszkösödtek utána, úgyhogy amputálni kellett őket.

– Ki a frász ez az Octavian?

– Sosem találkoztam vele.

– Ő is kolumbiai?

– Fogalmam sincs.

– A tolószékes srác nem mondott róla semmit?

– Nem volt nyelve. Állítólag Octavian azt is kivágta.

– Szükséged van egy tervre – töprengtem hangosan.

– Bármikor besétálhat, és még csak nem is fogom tudni, hogy ő az.

– Szóval most azonnal kell egy terv.

– Leléphetek Los Angelesbe.

– Tényleg?

– Á, dehogy! – vágta rá. – Octavian megtalálna. Nem akarom az életem hátralévő részében azt figyelni, követnek-e.

Szünetet tartottam. Vettem egy mély levegőt.

– Előfordul, hogy valakit kirabolnak, nem igaz? – próbálkoztam újra.

– Előfordul – ismételte. – Volt már ilyen a történelem során.

– Ráfoghatnád a bostoniakra. Kezdj ott balhézni! Tereld el magadról a gyanút! Még jól is jöhetsz ki ebből. Te vagy az ártatlan áldozat. Az egyes számú sértett. Majdhogynem egy hős.

– Esetleg ha meggyőzöm Octaviant.

– Vannak rá módszerek.

– Mint például?

– Először is magadat győzd meg! Te voltál itt az áldozat. Ha igazán elhiszed, ha elhiteted magaddal, akkor ez az Octavian is hinni fog neked. Mintha szerepet játszanál.

– Az nem fog könnyen menni.

– Egymillió megéri a fáradságot. Vagyis kettő, ha eladod a tíz kiló kokót is.

– Nem tudom.

– Csak ragaszkodj egy forgatókönyvhöz! Te nem tudsz semmit, a bostoniak voltak. Akárki is ez az Octavian, az ő dolga, hogy eredményt mutasson fel, nincs ideje zsákutcákban bolyongani. Ki kell tartanod a sztori mellett, ő meg majd elmondja a Martinez fiúknak, hogy te tiszta vagy, és továbblépnek.

– Talán.

– Csak tanuld be a sztorit, és ragaszkodj hozzá! Legyél te magad a sztori! Add elő! Úgy, mint az a kövér csóka, aki nemrég halt meg.

– Marlon Brando?

– Ja, az. Jó színész volt. Tedd ezt, és rendben leszel!

– Talán.

– Viszont Octavian át fogja kutatni a kéródat.

– Az biztos – mondta a pasas. – Darabokra fogja szedni.

– A cucc semmiképpen se legyen ott.

– Nem ott van.

– Az jó – mondtam, és elhallgattam.

– Mi van? – kérdezte erre.

– Hol van? – kérdeztem vissza.

– Nem fogom neked elárulni– felelte.

– Helyes – vágtam rá. – Nem is akarom tudni. Mi a francért akarnám? De ebben az esetben neked sem kellene tudnod.

– Hogy a fenébe ne tudjam?

– Épp ez a probléma – mondtam. – Ez az Octavian látni fogja a szemedben. Látni fogja, hogy tudod. Szét fog verni, hogy kiszedje belőled, és közben ürességet kellene látnia a tekintetedben, mintha fogalmad sem lenne. Ezt kellene látnia, mégsem ezt fogja.

– Mit fog látni?

– Azt, hogy te közben azon agyalsz, ha kitartasz, ennek holnapra vége, és visszamehetsz a kunyhóhoz, a poggyászmegőrzőhöz vagy akárhová, és akkor minden rendben lesz. Tudni fogja.

– Akkor mit csináljak?

Lehúztam a sör maradékát. Meleg volt már, és íztelen. Elméláztam azon, hogy rendelek még kettőt, de aztán mégsem. Úgy ítéltem meg, hogy már a vége felé tartunk, és nincs szükség további befektetésre.

– Talán mégis Los Angeles a megoldás – mondtam neki.

– Nem – felelte.

– Hát akkor add ide nekem a cuccot! Akkor tényleg őszintén nem fogod tudni, hol van. Legalább ennyi előnyöd legyen!

– Hülye lennék. Miért bíznék benned?

– Nem kell. Ehhez nem muszáj bíznod bennem.

– Még a végén eltűnnél a kétmilliómmal.

– Megtehetném, de nem fogok. Mert ha lelépnék, te hívnád Octaviant, és közölnéd vele, hogy beugrott egy arc. Személyleírást adnál rólam, és onnantól fogva a te problémád már az én problémám lenne. És ha ez az Octavian ennyire durva, mint ahogy mondod, akkor ilyen gondot nem szeretnék a nyakamba.

– Elhiheted, hogy ilyen.

– El is hiszem.

– Hol találnálak meg utána?

– Itt – feleltem. – Tudod, hogy ide szoktam járni. Láttál már itt korábban is.

– Adjam elő, mint Marlon Brando – mormogta.

– Amit nem tudsz, azt elárulni sem tudod – erősítettem rá.

Hosszú ideig volt csendben. Csak ültem mellette, és közben elképzeltem, ahogy beteszek egymillió dollárnyi készpénzt és tíz kiló tiszta kokaint a kocsim csomagtartójába.

– Oké – bökte ki végül.

– Azért ennek ára van – mondtam neki a hihetőség kedvéért.

– Mennyi? – kérdezte.

– Ötvenezer – feleltem.

Elmosolyodott.

– Oké.

– Mint a kanapépárnák közé esett cent – jegyeztem meg.

– Jól mondod.

– Mindketten nyerünk rajta.

Kinyílt a bár ajtaja, és egy meleg fuvallat kíséretében besétált rajta egy pasas. Látszott, hogy spanyol felmenői voltak. Alacsony, köpcös, nagy kézzel és egy csúnya vágással az arcán.

– Ismered? – kérdezte az új barátom.

– Sosem láttam – válaszoltam.

Az új fickó odasétált a pulthoz, és leült egy bárszékre.

– Most azonnal le kellene zongoráznunk ezt a dolgot – szólalt meg az én új barátom.

Olykor a dolgok csak úgy az öledbe pottyannak.

– Hol a cucc? – kérdeztem.

– Egy régi lakókocsiban az erdőben – felelte.

– Nagy? – kérdeztem. – Még nem láttam ilyet.

– Tíz kiló az tíz kiló – mondta. – A pénz is nagyjából ennyi. Két sporttáska az egész.

– Akkor menjünk! – mondtam neki.

Az én kocsimmal mentünk, először nyugatnak, aztán dél felé. Egy tűzoltásra kialakított útról egy földútra irányított, amely egy tisztásra vezetett. Valaha tiszta is lehetett, de mostanra mindenféle gaz nőtte be, bűzlött az állati ürüléktől, a lakókocsi pedig már rég nem volt alkalmas nyaralásra, inkább egy hajóroncsnak nézett ki. Az egészet penész és rozsda borította, az ablakai sötétek voltak a rájuk tapadt növényi maradványoktól. A srác küzdött egy kicsit az ajtóval, majd bement. Én addig felnyitottam a csomagtartót, és vártam. Amikor újra előjött, mindkét kezében volt egy-egy sporttáska. Odahozta őket a kocsihoz.

– Melyik melyik? – kérdeztem.

Leguggolt, és széthúzta rajtuk a cipzárt. Az egyikben használt bankók voltak kötegbe rendezve, a másikban pedig tömör, sima, fehér téglák. A sűrű fehér port átlátszó műanyagba csomagolták.

– Rendben – mondtam.

Újra felállt, és bedobta a táskákat a csomagtartóba. Én oldalra léptem, és kétszer fejbe lőttem. Mindenhonnan madarak szálltak fel károgva és rikácsolva, majd visszarepültek az ágakra. Visszatettem a fegyvert a zsebembe, és elővettem a mobilomat. Kicsöngött.

– Igen? – szóltak bele egyszerre a Martinez testvérek. Mindig kihangosították a telefont. Túlságosan féltek attól, hogy a másik elárulja őket, így nem engedélyeztek magánbeszélgetéseket egymásnak.

– Octavian vagyok – szóltam bele. – Végeztem. Megvan a pénz, és a fickót is elintéztem.

– Máris?

– Szerencsém volt – mondtam. – Csak úgy az ölembe potytyant.

– És a tíz kiló?

– Már rég nincs meg – mondtam. – Eltűnt.

Biztonságban

Wolfe városi gyerek volt. Születésétől fogva egy vas és beton alkotta világban élt. Először egy háztömb, aztán kettő, majd négy, aztán nyolc. Fákat csak akkor látott, ha felment a lakóházuk tetejére. Az East River túlpartján nőttek, olyan távol, hogy szinte mesebelinek tűntek. Nyírt gyeppel huszonnyolc éves koráig csak a Yankee Stadion pályáján találkozott. Fel sem tűnt neki a városi csapvíz klóros íze, és a forgalom moraja is megegyezett számára a teljes, nyugodt csenddel.

Most viszont vidéken élt.

Bárki más külvárosnak nevezte volna, de itt tágas tér terült el az épületek között, senki sem tudta, mit főz a szomszéd, hacsak nem hívták meg vacsorára, rovarok hada nyüzsgött az udvarban, néha őzek is megjelentek, vagy akár még egér is motozhatott a pincében, ősszel leveleket fújt a szél, és az áram póznákra szerelt vezetéken jött, a víz pedig kútból.

Wolfe számára ez volt maga a vidék.

A vadnyugat.

Egy hosszú és kanyargós út vége.

Az út huszonhárom évvel ezelőtt kezdett kanyarogni egy bronxi állami általános iskolában. Akkoriban a fiúkat korán beskatulyázták. *Huligán, senkiházi, munkásgyerek, géniusz:* a címke alaposan fel lett ragasztva, és oda is ragadt örökre. Wolfe jól viselkedett, és jól ment neki az üzlettan meg a számtan, így őt a munkásgyerek kategóriába sorolták, és azt várták tőle, hogy felnőttként majd vízvezeték-, villany- vagy légkondiszerelő lesz. Az ennek megfelelő területen kellett helyben támogatót keresnie, aki felveszi inasnak, hogy aztán negyvenöt éven át dolgozzon. Ő pedig pontosan így is tett. A villanyszerelők útját választotta, és már túl volt tíz éven az előirányzott negyvenötből, amikor az eset történt.

Akkor már a külvárosokban az építőipar fellendüléséből adódó munkatöbbletet nem bírták kiszolgálni a helyi apa-fia villanyszerelői vállalkozások. Eddig arrafelé csak kisvállalkozók, családi cégek meg magányos kivitelezők voltak, akiknél a feleség könyvelt. Ugyanez volt a helyzet a helyi tetőfedők, vízvezeték-szerelők vagy gipszkartonozók esetében is. A kereslet túlnőtt a kínálaton. De a beruházóknak a bevétel volt a fontos, így nem tűrhették a csúszást. Szóval lenyelték a büszkeségüket, és a városi szakszervezeteknél toboroztak, aztán furgonokat küldtek, amelyek reggel hétkor indultak, és vacsorára értek haza. Könnyű volt felvenniük a versenyt a bérekkel. A városi költségvetés be volt fagyasztva.

Nem Wolfe volt az első, aki aláírt nekik, de nem is az utolsó. Minden reggel hét órakor beült egy Dodge Caravanba, ami tele volt az egyik külvárosi brigádvezető gyerekeinek a cuccaival. A hátsó ülésre beszállt még pár városi fazon. Morózus csendben ülték végig az egyórás utat, de kíváncsisággal néztek kifelé az ablakon. Néhányan hamarabb kiszálltak egy élére állított, negyedholdas telkekkel teli kisvárosban. Mások addig ültek hátul, amíg el nem érték az ország északi részét, ahol az erdő is sűrűbb volt.

Wolfe-ot az utolsó megállónál tették ki dolgozni.

Bárki, aki Wolfe-nál többet járt a természetben, pont olyannak írta volna le a helyet, mint amilyen: dimbes-dombos, százéves másodültetéssel erdősített terület, gleccserek csipkézte sziklákkal, néhány csermellyel és tengerszemmel. Wolfe viszont azt hitte, ez maga a Sziklás-hegység. Számára mindez hihetetlenül vad volt. Madarak trilláztak, mókusok cikáztak, a sziklákat szürke zuzmó fedte, és keszekusza bozót övezett mindent.

Egy körülbelül négyhektáros telken álló faházon dolgozott. Itt minden más volt, mint a városban. Sár cuppogott a lába alatt, az áram egy a csuklójával megegyező vastagságú kábelen érkezett, amit az útpadkán álló két kátrányos pózna között lógó hurokból vezettek ki. Az új tápvezetéket egy méter magasan vágták el, és a megszakítódoboz csak úgy oda volt csavarozva egy furnérdeszkához, amely, akár egy sírkő, kiállt a földből. A táp kétszáz amperes volt. A föld alatt futott tovább egy kavicsos árokban, a tervezett autófeljáró mentén, vagyis nagyjából olyan hoszszan, mint egy New York-i sugárút. Aztán a jövőbeni alagsorban, egy a betonalapba vágott, sebhelyszerű résben bukkant fel. Onnantól Wolfe dolga volt elbánni vele.

Az idő nagy részében egyedül dolgozott. A gipszkartonozók néha-néha megjelentek, de amíg ő nem végzett, értelmetlen volt ott bárkinek bármit csinálnia. Utána majd pillanatok alatt összedobják a falakat, és már le is lépnek. Szóval Wolfe csak egy kis fogaskerék volt a nagy, összetett gépezetben. Elégedett volt ennyivel. Könnyű meló volt, és kellemes. Szerette a nyers fa illatát. Élvezte, hogy kézifúróval könnyedén be tudja helyezni a faszegecseket, és nem kellett kalapáccsal átütnie a téglát vagy a betont. Jólesett neki, hogy az idő nagy részében állva tudott dolgozni ahelyett, hogy görnyedt volna. Szerette a hely friss tisztaságát. Jobb, mint száradt patkányürülék-kupacokban tapicskolni.

Fokozatosan megszerette a környéket is.

Mindennap egy otthoni élelmiszerüzletből hozott magának csomagolt ebédet. Kezdetben a jövőbeni garázs helyén, egy deszkán ücsörögve evett. Később távolabb merészkedett, és egy sziklán üldögélt. Majd talált egy jobb követ egy patak mellett, aztán a túlpartján felfigyelt egy helyre két sziklával. Az egyik olyan volt, mint egy asztal, a másik pedig beillett széknek.

Aztán talált egy nőt.

A nő sietve sétált át az erdőn. A bozót csapkodta a lábát. Wolfe látta őt, de ő nem látta a férfit. Valami nagyon lefoglalta. Düh vagy zaklatottság. Úgy festett, mint a vidék szelleme. Az erdő istennője. Magas és nyúlánk volt. Kócos, tejfölszőke haj keretezte a magazinokba illő arcát. Nem használt sminket. Kék szeme és sápadtfehér, törékeny keze volt.

Később Wolfe megtudta a brigádvezetőtől, hogy a föld, amelyen dolgoztak, korábban a nőé volt. A tizenhárom hektárjából eladott négyet egy ingatlanfejlesztőnek. Wolfe azt is megtudta, hogy a nő házassága nem igazán működött. Egy helyi pletykafészek szerint a férj igazi seggfej volt. Valami Wall Street-i fickó, aki vonattal ingázott New Yorkba. Sosem volt otthon, de ha mégis, akkor igencsak megnehezítette a felesége életét. Az a hír járta, hogy meg akarta akadályozni a föld eladását, holott az a nőé volt. Azt beszélték, hogy folyton veszekedtek, már ahogyan az előkelő emberek szoktak, félig bújtatott, karót nyelt módon. Állítólag még azt is hallotta valaki, amint a férj azt mondta a feleségének: „rohadtul kinyírlak". Azt mondják, talán kicsit visszafogottabban, de a feleség is viszontfenyegette a férjet.

A külvárosi pletyka lenyűgöző mértéket tud ölteni. Ahonnan Wolfe jött, ott nem volt szükség pletykákra, mert minden áthallatszik a vékony falakon.

Másfélszeres pénzt adtak Wolfe-nak, amikor szombaton is dolgozott, és nagy összegeket csúsztattak oda, ha a telefonvonalat, a tévé- és internetkábelt is összerakta. Szakszervezeti tagként ezt nem fogadhatta volna el. De itt modemekről, egy médiaszobáról és öt hálószobai telefonállomásról volt szó, a faxról meg egy digitális előfizetői vonalról nem is beszélve. Szóval Wolfe eltette a pénzt, és megcsinálta a melót.

A legtöbb napon látta a nőt.

A nő azonban nem vette észre őt.

Wolfe kiismerte a szokásait. Mindig látta az új kocsifeljáró végében elhaladni a zöld Volvo kombiját, amikor a nő a boltba igyekezett. Egy nap, amikor megpillantotta az autót, letette a szerszámait, átsétált az erdőn, és átlépett a határvonalon, amely a nő földjére vezetett. Ott sétált, ahol előtte a nő. A fák sűrűn álltak, de úgy húsz méter után egy tágas rétre ért, amely a nő házáig nyúlt. Első alkalommal csak a gyep széléig ment, és ott megállt. Pont a széléig.

Másodszor már egy kicsit messzebb merészkedett.

Mire ötödjére kereste fel a helyet, már mindent bejárt a birtokon. Mindent felfedezett. Volt, hogy levette a cipőjét, és lábujjhegyen osont át a konyhán. A nő nem zárta az ajtókat, ahogy errefelé senki sem, mintha valamiféle megkülönböztető jelvény lett volna ez. „Mi sosem zárjuk az ajtóinkat", mondták mind, kis kacajjal kísérve.

Úgy kell nekik!

Wolfe befejezte a kazán bekötését az alagsorban, és belekezdett az első emeleti feladatokba. Mindennap az ikersziikláknál ebédelt. Az egyik szombaton, amely másfélszeres bérrel kecsegtetett, megpillantotta a nőt a férjével. A gyepen veszekedtek. Csak ordibáltak, nem fajult ennél tovább a dolog. Közben fel-alá sétáltak a füvön a napfényben. Hol eltűntek Wolfe szeme elől, hol újra feltűntek a fák között. Olyan volt, mintha egy stroboszkóp villódzó fényében nézne egy színpadi előadást. Mint egy diszkó. A düh és a sértettség állóképeinek gyors váltakozása. A pasas tényleg egy seggfej volt. Ok nélkülinek tűnt a dühe, amennyire Wolfe azt meg tudta ítélni. Minél jobban őrjöngött, a nő annál kedvesebbnek tűnt. Mint egy mártír a templomablakban: sebzett, törékeny, nemes.

Aztán az a seggfej megütötte.

Afféle lányos pofon volt. Próbálna valaki így ütni ott, ahonnan Wolfe jött, az ellenfele egy percig csak röhögne, mielőtt péppé verné. De a nőnek ez is éppen elég volt. A seggfej magas volt, és jól megtermett. Annyi erőt azért belevitt az ütésbe, hogy a lány szó szerint dobjon egy hátast a fűre. A nő megdöbbenten ült fel. Nem akarta elhinni. Az arcán élénkpiros nyom vöröslött. Sírni kezdett. Nem a fájdalomtól, nem is dühében. Egyszerűen csak az összetört szívéből jövő szomorúság könnyei futották el a szemét. Bármennyire is nagyszerű dolgokat ígért neki az élet, így végezte: a saját gyepén elterülve, az arcán öt ujjnyommal.

Nem sokkal később jött a július 4-ei hétvége, és Wolfe négy napon át otthon maradt.

Amikor a Dodge Caravan újra visszavitte, helyi rendőrautók konvoját látta közeledni a lenti úton. Valószínűleg a nő házától jöttek. Nem villogtak. Újra odapillantott, aztán visszatért a munkájához.

Második emelet, három áramkör a lámpáknak. Kapcsolós konnektorok és mennyezeti foglaltok. Falikarok a fürdőszobában. A fúró hangja árulhatta el, hogy ott van, mert a nő egyszer csak megjelent. Most először láthatta Wolfe-ot. Legalábbis Wolfe így tudta. Viszont biztosan ez volt az első alkalom, hogy beszéltek.

A nő átevickélt a kavicsos felhajtón, elhajolt a bejárati ajtót helyettesítő furnérlap mellett, és bekiáltott:

– Hahó!

Wolfe meghallotta a fúró zaján túlról jövő hangot, és lecsattogott a lépcsőn. Addigra a nő már belépett az előtérbe. A háta mögül beáramló fény glóriát vont a feje köré. Régi farmert és pólót viselt. Bájos jelenség volt.

– Elnézést, hogy zavarom – kezdte.

A hangja, mint egy angyal simogatása.

– Nem zavar – felelte Wolfe.

– A férjem eltűnt – folytatta.

– Eltűnt? – kérdezte Wolfe.

– Nem volt itthon a hétvégén, és ma a munkahelyén sem jelent meg.

Wolfe erre nem szólt semmit.

– A rendőrség magát is fel fogja majd keresni – mondta a nő. – Csak azért jöttem, hogy előre is elnézést kérjek.

De Wolfe látta, hogy nem csak ennyiről van szó.

– Miért jön ide a rendőrség hozzám is? – kérdezte.

– Gondolom, muszáj nekik. Felteszem, így szokták csinálni. Valószínűleg szeretnék tudni, látott-e valamit. Vagy hallott-e bármi... szokatlant.

Az utolsó mondata valójában kérdésnek hangzott. Nem csupán megjósolta, hogy mit kérdezhetnek majd a zsaruk Wolfe-tól, hanem kérdezett, itt és most, tőle. Hallott valami szokatlant? Igen vagy nem?

– A nevem Wolfe. Örülök, hogy megismerhetem – mondta erre a férfi.

– Mary vagyok. Mary Lovell – felelte a nő.

Lovell. Mint angolul a szerelem, csak áll még két l a végén.

– Hallott bármit is, Mr. Wolfe?

– Nem – felelte a férfi. – Én csak dolgozom. Magam is elég zajt csapok.

– Csak mert a rendőrség kissé... távolságtartó, tudja. Tisztában vagyok vele, hogy ha egy feleség tűnik el, a rendőrök mindig a férjet gyanúsítják, amíg nincs bizonyíték az ellenkezőjére. Azon tűnődöm, vajon most is így gondolják-e, csak fordítva.

Wolfe nem szólt semmit.

– Főképpen, ha voltak szokatlan dolgok – folytatta Mary Lovell.

– Én nem hallottam semmit – válaszolt erre Wolfe.

– Főképpen, ha a feleség nem tűnik túlságosan zaklatottnak.

– Ön nem zaklatott?

– Inkább szomorkás vagyok. Szomorú, amiért boldognak érzem magam.

Két órával később valóban megjelent a rendőrség. Helyesebben két rendőr. Városi zsaruk egyenruhában. *Az itteni rendőrőrs valószínűleg nem volt elég nagy ahhoz, hogy nyomozóik is legyenek*, gondolta Wolfe. A zsaruk udvariasan üdvözölték, majd előadtak egy hosszú és zavaros sztorit, ami nagyjából összefoglalta a helyi pletykákat. Folyton veszekedő férj és feleség, meg egy megromlott házasság, amelyről mindenki tud a környéken. Egyenesen, férfiasan közölték, hogy ha a feleség tűnt volna el, komoly kérdéseik lennének a férjhez. A helyzet fordítottja ritkább, de volt már rá példa, és őszintén szólva a város tele van mindenféle híresztelésekkel. Így mindössze annyit akarnak kérdezni, hogy Mr. Wolfe tud-e bármit, ami esetleg jobban rávilágít a helyzetre.

Mr. Wolfe csak annyit mondott, hogy nem tud semmit.

– Sosem látta őket? – kérdezte az egyik zsaru.

– Azt hiszem, a hölgyet igen – felelte Wolfe. – Néha-néha láttam elhajtani itt az autójával. Legalábbis azt hiszem, ő volt az. Az irány stimmel.

– Zöld Volvo?

– Pontosan.

– És a férfit nem látta soha? – kérdezte a másik zsaru.

– Soha – válaszolt Wolfe. – Én ide csak dolgozni járok.

– Esetleg hallott bármikor bármit?

– Mint például?

– Például veszekedést vagy hangosabb szóváltást.

– Semmit.

– Ez a fickó – mondta az első rendőr – egyértelműen komoly karriert hagyott hátra a városban. A férfiak nem tesznek ilyet. Inkább szereznek egy ügyvédet.

– Mit mondhatnék?

– Csak megjegyeztük.

– Mit?

– Annak a Volvónak a csomagtartója több mint két méter hosszú, ha az ülések támláját lehajtják.

– És?

– Sokat segítene, ha kijelentené, véletlenül sem látta az ablakon keresztül, ahogy az a Volvo egy nagyjából száznyolcvan centiméter hosszú, szőnyegbe vagy műanyag zsákba tekert valamivel a csomagtartójában elhajt a kocsifeljáró előtt.

– Nem láttam ilyet.

– Tudjuk a nőről, hogy elhangzott a fenyegetés a szájából. Ahogy a férfi is megfenyegette őt. Csak annyit mondok magának, hogy ha a nő tűnt volna el, most a férfival kapcsolatban érdeklődnénk, az biztos.

Wolfe nem mondott semmit.

– Így aztán most a nőt kell gyanúsítanunk – folytatta a rendőr. – Figyelnünk kell az egyenlő bánásmódra. Muszáj, akár akarjuk, akár nem.

A zsaru még egyszer utoljára Wolfe-ra pillantott, mint egyik kékgalléros a másikra. Legalább ők segítsék egymást ebben a mai világban. Remélte, hogy mégis kiszed belőle valamit.

De Wolfe csak ennyit mondott:

– Én itt dolgozom. Nem figyelek másra.

Wolfe látta, hogy a rendőrautók egész álló nap fel-le járnak az úton. Aznap este nem ment haza. Hagyta, hogy a Dodge Caravan nélküle induljon vissza a városba, és átment Mary Lovell házához.

– Csak átugrottam, hogy megnézzem, hogy van – mondta a nőnek.

– Azt hiszik, hogy megöltem – felelte erre ő.

A konyhába vezette Wolfe-ot, ahol a férfi már korábban járt.

– Vannak tanúik, akik hallották, hogy megfenyegettem őt. De azok csak értelmetlen szavak voltak, amelyek veszekedés közben hagyják el az ember száját – mondta a nő.

– Mindenki mond ilyesmiket – értett egyet Wolfe.

– De főleg a munkája miatt aggódnak. Azzal érveltek, hogy egy ilyen munkát senki nem hagy csakúgy ott. És igazuk van. Ha valaki mégis lelépne, biztosan lenne nyoma annak, hogy használta a bankkártyáját, mondjuk, hotelszoba vagy repjegy foglalására. De ő nem tett ilyet. Akkor mégis mit csinál? Készpénzzel fizet valami koszos motelben? Miért tenne ilyet? Ezen rugóznak.

Wolfe nem mondott semmit.

– Csak úgy eltűnt. Nincs rá magyarázat – közölte Mary Lovell.

Wolfe hallgatott.

– Én is magamat gyanúsítanám. Tényleg – sóhajtott Mary.

– Van fegyver a házban? – kérdezte Wolfe.

– Nincs – felelte a nő.

– Megvan az összes kés a konyhában?

– Igen.

– Akkor mit gondolnak, hogyan csinálta?

– Nem mondták.

– Nincs bizonyítékuk – jelentette ki Wolfe.

És elhallgatott.

– Mi az? – nézett rá a nő kérdőn.

– Láttam, amikor megütötte magát.

– Mikor?

– Még az ünnep előtt. Én az erdőben voltam, maguk a gyepen.

– Figyelt bennünket?

– Láttam magukat. Az nem ugyanaz.

– Elmondta ezt a rendőröknek?

– Nem.

– Miért nem?

– Először magával akartam beszélni.

– Miről?

– Fel akartam tenni egy kérdést.

– Milyen kérdést?

– Megölte?

A választ alig észrevehető, apró szünet előzte meg, majd Mary Lovell annyit mondott:

– Nem.

Azon az éjszakán kezdődött. Összeesküvőknek érezték magukat. Mary Lovell afféle külvárosi bohém volt, aki nem akart egy bronxi villanyszerelőt csak úgy elengedni. Wolfe-nak pedig nem volt semmi kifogása az elegáns hölgyek ellen. Az égvilágon semmi.

Wolfe nem ment haza többé. Az első három hónap kemény volt. Az, hogy öt nappal a férje eltűnése után új szeretője lett, csak rontott Mary Lovell helyzetén. Nem is kicsit. A pletykagyár teljes erővel beindult, és a zsaruk sem hagytak neki nyugtot. De túlélte. Éjszaka Wolfe mellett jól érezte magát. A kétség apró magja bizonyára ott motoszkált a férfi fejében, ezzel a nő is tisztában volt. Épp ez kötötte hozzá. Wolfe sosem említette. Egy pillanatra sem kételkedett benne. És ez a nőt is megkérdőjelezhetetlenül elkötelezetté tette a férfi iránt. Mintha ő lenne a hercegnő, akit születésétől fogva odaígértek valakinek. Az, hogy kedvelte is a férfit, csak még jobbá tette az egészet.

Három hónap után a zsaruk gondolatban továbbléptek, a Lovell-férj aktáján pedig, mint általában a megoldatlan ügyeken, egyre csak gyűlt a por. A pletykagyár elcsendesedett. Egy év múlva már alig emlékeztek rá. Mary és Wolfe jól megvoltak együtt. Az élet szép volt. Wolfe egyéni vállalkozó lett. Mary vett neki egy furgont, azzal járt a helyi ingatlanfejlesztőknek dolgozni. És Mary írta a számlákat.

A harmadik közös karácsonyuk előtt vált keserűvé az idill. Marynek végül be kellett látnia, hogy a rózsaszín ködön túl az ő bronxi villanyszerelője egy kicsit... unalmas. A férfi nem volt egy észlény. A családja pedig egyenesen barbár hordára emlékeztetett. Egy idő után már nem vonzó, hanem inkább bosszantó volt, hogy csupán a férfi fejében motoszkáló kétség apró magja az egyetlen kapocs közöttük. Mary úgy érezte, már rég nem titkos összeesküvők, sokkal inkább cellatársak abban a börtönben, amelyet a rég elfeledett férje húzott köréjük.

Ami Wolfe-ot illeti, egyre jobban idegesítette a lány. Mindenben marha felvágós volt, önelégült, felfuvalkodott. Nem szerette a baseballt, és azt mondta, még ha szeretné is, akkor sem tudna a Yankeesnek szurkolni. Szerinte azok mindent pénzért kaptak meg. Nem mintha ő nem ebben a cipőben járna.

Wolfe kezdett halványan együttérezni a rég elfeledett férjjel. Egy alkalommal visszaidézte magában azt a bizonyos pofont a gyepen. Ahogy a férfi karja hosszan lendült a levegőben. Az ívet, amelyet a keze leírt. Wolfe elképzelte, ahogy a levegő nekifeszül a saját tenyerének, és élesen belecsíp, miközben eléri a nő arcát.

Lehet, hogy Mary megérdemelte.

Egyszer, amikor szemtől szemben álltak a konyhában, azon kapta magát, hogy a karja már szinte lendül is. Kis híja volt, de Mary észre sem vette. Talán ő is éppen a határán volt annak, hogy megüsse a férfit. Úgy tűnt, csak idő kérdése.

A harmadik karácsonyon esett szét minden. Pontosabban utána. Az ünnep még éppen rendben lezajlott. De a lány túl pedáns volt, mint mindig. Bronxban, ha véget ért az ünneplés, a karácsonyfát kidobták a járdára. Mary azonban mindig megvárta január 6-át, és aztán kiültette a fát a kertbe.

– Szégyen lenne egy élőlényt így elpazarolni – mondogatta. Gyökeres fát vetetett Wolfe-fal. A férfi azelőtt még sosem látott gyökeres karácsonyfát. Számára ez az egész olyan fonáknak tűnt. Előrelátás, a jövőért érzett aggodalom és valamiféle lelkiismeret-vezérelt önigazolás keveredett ebben. Mintha csak akkor lenne szabad jól érezni magad, ha utána helyes dolgokat cselekszel. Wolfe világában ez nem így ment. Az ő világában a szórakozás pusztán szórakozás volt.

Mary számára fát ültetni kedves cselekedet, számára viszont egy órán át tartó hátfájdító ásás a fagyos hidegben.

Persze veszekedtek miatta. Hosszan, hangosan és durván. Másodperceken belül eljutottak az osztály, hovatartozás és kultúra problematikájához. Mérges sértéseket vágtak egymás fejéhez. Összesűrűsödött a levegő körülöttük. Addig vagdalkoztak, amíg annyira belefáradtak fizikailag az egészbe, hogy képtelenek voltak folytatni. Wolfe-ot mélyen megrázta a dolog. Mary nagyon érzékeny ideget érintett. A legbelsejéig hatolt: egyetlen nőnek sem lenne szabad így beszélnie egy férfival. Wolfe tudta, hogy ez aljas érzés. Tudta, hogy rossz, régimódi, túlságosan hagyománykövető így kimondva.

De ő már csak ilyen volt.

Ránézett a nőre, és abban a pillanatban tudta, hogy gyűlöli.

Megkereste a kesztyűjét, felhúzta a télikabátját, megragadta a fát az egyik ágánál, és kirángatta a hátsó ajtón. Visszament a garázsba az ásóért. Aztán a fát maga mögött húzva a gyep szélén lévő egyik óriási juharfához ment, amelynek az árnyékában vékonyabb volt a hótakaró, és a rohadt karácsonyfa is biztosan kikorhad majd. Elrugdosta a havat és a tavalyi avart az útból, és belevágta az ásót a földbe. A kiásott földrögöket jó messzire az erdőbe hajította. Mérges döfésekkel vágta át a juhargyökereket. Tíz perc múlva már patakokban folyt az izzadság a hátán. Tizenöt perccel később már túl volt fél méter mélységen.

Húsz perc múlva látta meg az első csontot.

Térdre ereszkedett. Elseperte a földet a kezével. Piszkosfehér volt, hosszú, és pont olyan alakja volt, mint annak, amit a rajzfilmekben a kutyáknak adnak. Megszáradt inak lógtak róla, és szétfeslett pamutanyag vette körbe. Wolfe felállt. Lassan megfordult, és a házra meredt. Visszasétált. Megállt a konyhában. Kinyitotta a száját.

– Bocsánatot kérni jöttél? – nézett rá Mary.

Wolfe elfordult. Felemelte a telefont.

A segélyhívót tárcsázta.

A helyiek hívták az állami rendőrséget. Maryt a konyhában tartották házi őrizetben, amíg nem végeztek a feltárással. Megjelent egy hadnagy egy házkutatási engedéllyel. Az egyik embere elhúzott egy régi kredencet a garázsfaltól, és talált mögötte egy ácsoláshoz való kalapácsot. Tisztán látható volt a rászáradt vér és a régen odatapadt hajszálak. Bezacskózták, és kivitték a kertbe. A kalapácsfej tökéletesen illett a földben talált koponyán ejtett lyukba.

És ekkor Mary Lovellt letartóztatták a férje meggyilkolásának vádjával.

Aztán a tudomány vette át az irányítást. A fogak, a vérminta és a DNS-teszt bizonyította, hogy kétségtelenül a férj maradványaira bukkantak. A kalapácson is a férj vére és hajszálai voltak. Ehhez sem fért szemernyi kétség sem. A kalapácson megtalálták Mary ujjlenyomatát. Huszonhárom ponton bizonyított hasonlóság. Bőven elegendő a helyieknek, az államiaknak és az FBI-nak együttvéve.

Aztán az ügyvédek vették át az irányítást. A megyei ügyész imádta az ügy minden pillanatát. Elvégre azzal, ha bekaszniz egy középosztálybeli fehér nőt, bizonyíthatja, mennyire pártatlan és igazságos. Maryt egy barát barátja védte. Ügyes volt ugyan, de esélytelenül indult. Nem az ügyész, hanem a súlyos bizonyítékok miatt. Mary ártatlannak akarta vallani magát, de az ügyvéd meggyőzte, hogy ismerje be az emberölést. Érzelmi felindultság, átmeneti elmezavar, soha nem múló megbánás és bűntudat. Így aztán egy késő tavaszi napon Wolfe a tárgyalóteremben ült, és végignézte, ahogy a nőt elítélik legalább tíz évre. Mary az egész eljárás alatt egyetlenegyszer nézett csak rá.

Aztán Wolfe visszament a nő házába.

Sok éven át élt ott egyedül. Dolgozott, és maga könyvelte a számlákat. Megtanulta igazán szeretni a magányt és a csendet. Néha elautózott a stadionig, aztán amikor már húsz dollárt kellett fizetni a parkolásért, úgy döntött, a bronxi napok számára véget értek. Vett egy nagy képernyős tévét. Persze saját maga vezette be a kábelt. Otthon nézte a meccset. Az utolsó ütés után néha csak ült a sötétben, és újra lejátszotta az esetet a fejében. Zsaruk, ügyvédek tucatjával. Elég alapos munkát végeztek önmagukhoz képest.

De két életbe vágó pontot elvétettek.

Egy: hogyan bánhatott Mary Lovell a kalapáccsal és az ásóval ilyen rutinosan, amikor annyira sápadt, törékeny keze volt? Miért nem láttak a helyi zsaruk az eltűnés utáni nyomozáskor csúnya, vörös hólyagokat a nő tenyerén?

Kettő: honnan tudta Wolfe, hol kell elkezdenie gödröt ásni annak a rohadt karácsonyfának? Éppen közvetlenül a veszekedésük után? Nem arról szól a fáma, hogy a zsaruk gyűlölik a véletlen egybeeséseket?

De mindent egybevetve Wolfe úgy vélte, biztonságban van.

Minden szempontból normális

1954-ben a San Franciscó-i Rendőrkapitányság ugyanolyan öszszetételű volt, mint bármelyik nagyobb városi rendőrség az országban, vagyis mindenfélére akadt benne példa: nemesre, szorgalmasra, kelletlenül kötelességtudóra, lustára és védekezőre, abszurdan korruptra, hatalmával visszaélőre és erőszakosra. Más szóval minden szempontból átlagosnak számított, a rendelkezésükre álló pénzügyi források tekintetében is. Visszanézve szánalmasan kevés pénzt kaptak, akkor viszont ennyi jutott, és kész. A háborúból hátramaradt fém íróasztalokon egyenesen és büszkén sorakoztak a hagyományos, indigópapírt használó írógépek, a kartondobozokba rendezett akták és a régi forgótárcsás telefonok.

Mondanom sem kell, hogy nem voltak számítógépek, adatbázisok, keresőoldalak, sem kulcsszavak vagy metaadatok. Nem volt automatikus keresés. Nem volt semmi más, csak férfiak egy szobában, nem éppen csalhatatlan memóriával megáldva. Néhányuk részeges is volt. Helyesebben a legtöbbjük. Voltak, akik több energiát fektettek a felejtésbe, mint az emlékezésbe. Így ment ez akkoriban. Emiatt minden egyes új bűntényt az elszigetelődés veszélye fenyegetett. A korábbi bűncselekményekkel kapcsolatos bármilyen összefüggés, egybecsengés vagy visszhang ki volt téve annak a veszélynek, hogy észrevétlen marad.

Minden rendőrkapitányság hasonló cipőben járt, nem csak a San Franciscó-i. Mindegyik kitermelte ugyanazt a de facto megoldást. Külön és egymástól függetlenül, vakon tapogatózva, de végül mindegyik ugyanoda lyukadt ki. Az irattáros vált minden bölcsesség forrásává. Általában egy őszülő veterán kapta ezt a szerepet, aki néha azért kényszerült íróasztal mögé, mert meglőtték vagy megverték. Ő lett az alagsori központ mindenható ura. Általában évek óta lent dolgozott a vastagon poros, régi aktákkal és teletömött, molyrágta dobozokkal megpakolt polcok között. Általában sokat fecsegett, pletykált és emlékezett dolgokra. Volt, hogy ismert egy fickót, aki ismert egy másikat a város túlfelén. Ő lett az adatbázis, még ha nem is volt tökéletes, és a más fickókat ismerő fazonok alkották a hálózatot. Részleges volt ugyan, és foltokban hiányos, de mégis valami. Szén-, nem pedig szilikonalapú információs technológia. Mindenhol ugyanez volt a helyzet.

Kivéve egyetlen őrsöt San Franciscóban, ahol az irattáros nem egy őszülő veterán volt, hanem egy alkalmatlannak tűnő újonc, akit Walter Klebnek hívtak. Még szinte gyerek volt akkoriban. Félénk, ügyetlen, és furcsán maníros. Nem dadogott, de néha muszáj volt előre elpróbálnia a teljes mondatot a fejében. Volt, hogy hang nélkül eltátogta, mielőtt kimondta volna hangosan. Különcnek tartották, visszamaradottnak, akinek nincs ki mind a négy kereke. Gyogyós, dilinyós, béna, őrült, holdkóros, skizó, csodabogár. 1954-ben nem volt ezeknél árnyaltabb kifejezés erre. Kleb végigküzdötte magát az akadémián. Sok szempontból reménytelen volt, de a teszteredményei az eget verdestek. Sosem látott még senki ilyet, és senki nem tudta kitalálni, hogy lehet tőle megszabadulni. Végül aztán beosztották szolgálatra.

Túlkeményített egyenruhában jelent meg, ami túl bő volt a nyakánál. Zavarba ejtően festett. Rekordidő alatt küzdötte le magát az irattárba. Nem jutott ideje nagy karriert befutni előtte. Semmi lövöldözés vagy verekedés. De boldog volt az alagsorban. Az idő nagy részét egyedül töltötte. Más dolga sem volt, mint olvasni, memorizálni, betűrendbe rakni és időrendbe sorolni. Néha-néha lejöttek hozzá emberek, akik az átlagnál udvariasabbak és kedvesebbek voltak, hiszen akartak valamit. Vagy aktát hoztak vissza, vagy aktát kértek ki, talán éppen úgy, hogy más ne szerezzen róla tudomást. Vagy meg szerettek volna találni valamit, amit valaki más véletlenül elhagyott, vagy el szerettek volna hagyni valamit, amit korábban figyelmetlenül megtaláltak.

Egy dolgot viszont sosem akartak. Véletlenül sem tettek fel adatbázissal kapcsolatos kérdéseket. Miért is tették volna? Hogyan is tudott volna egy félkegyelmű újonc, aki alig öt perce van ott, válaszolni rájuk? *Nagy kár,* gondolta Kleb, mert ő igenis tudott dolgokat. Az olvasás és a memorizálás kezdett eredményeket produkálni. Ő nem ismert fazonokat, akik más fickókat ismertek, és nem rendelkezett saját hálózattal, ami mindenképpen hátrányt jelentett. Nem az a fiú volt, aki csak úgy felhívhatott egy őszülő veteránt egy másik körzetből, hogy húsz percet pletykálgasson telefonon, esetleg szívességet kérjen vagy tegyen. Egyáltalán nem ilyen volt. Viszont ő volt az a srác, aki listákat készített, kedvelte az összefüggéseket, és élvezte az anomáliákat. Úgy érezte, kérdezniük kellett volna tőle. Persze sosem ő szólalt meg elsőként. Vagyis egyetlen alkalmat leszámítva, január végén. Na tessék, és abból is mi lett!

Egy Cleary nevű nyomozó jött le hozzá, és egy majdnem egyéves akta után érdeklődött. Kleb tudta, melyik az. Olvasta. Megoldatlan emberölés. Politikai indíttatásúnak tűnt, feltehetőleg titkos ügynökök is érintettek voltak benne. Akadtak érdekes tényezők.

– Történt valami áttörés az ügyben? – kérdezte Kleb.

Cleary meghökkenve nézett rá, mint akit épp az imént vágtak pofon. Kleb először úgy gondolta, a nyomozó nem sértődésből vágott hirtelen ilyen képet, hanem csak meglepődött azon, hogy a félkegyelmű megszólalt, tudatosságot mutatott, és feltett egy kérdést. De aztán rájött, hogy nem erről van szó. Clearyt azért érte az elhangzott kérdés szó szerint arculcsapásként, mert goromba módon kirángatta az addigi gondolatmenetéből. Ugyanis a nyomozó gondolatai mindaddig valahol máshol jártak. Egyáltalán nem a régi ügyben történt áttörésen merengett, így az egyetlen ok arra, hogy kikérje az aktát, csakis egy új eset lehetett, ami feltehetőleg hasonlóságot mutatott.

Végül Cleary elvette az aktát, és szó nélkül elsétált. Kleb

erős késztetést érzett, hogy fejből felidézze a dokumentum tartalmát. Lőfegyver általi, egyértelműen nagy távolságból elkövetett emberölés. Az áldozat a Szovjetunióból emigrált. Vagy egy átállt exkommunistáról volt szó, akit büntetésképpen lőtt le egy valódi kommunista, vagy az átállás csak látszat volt, és valójában az áldozat egy alvóügynök volt, akit egy a Pentagon belső köreihez közel álló, homályos alak iktatott ki. 1954-ben mindkét elmélet teljes mértékben valószínűsíthető volt.

Mint mindig, Kleb ezúttal is egyedül ült az ebédnél, de ezen a napon egy asztallal közelebb merészkedett a tömeghez, hogy jobban hallja, miről beszélnek. Az új eset talány volt. Szovjet emigráns, távolról érkező puskalövés, tisztázatlan indíték... Valószínűleg kém lehetett. Aztán valaki ellenkezett, mivel a külügyminisztérium rejtett csatornái nem jelentették, hogy érzékeny ügy lenne. Tehát kémeket nem érintett. Csak hétköznapi embereket, akik azt csinálják, amit hétköznapi emberek szoktak vadászpuskával a Golden Gate Parkban.

Kleb visszatért az alagsorba és a fejében cikázó gondolatok közé. Újra átolvasta az első aktát. Minden részletet leellenőrzött. Minden nézőpontot mérlegre tett. A bűntény 1953. január 31-én, pontosan háromszázhatvanegy nappal korábban történt, a helyszín pedig ugyanúgy a Golden Gate Park volt, a legnyugodtabb napszakban, amikor kevés a lehetséges szemtanú. A golyómaradványok középkaliberű, nagy sebességű fegyverre utaltak. Úgy vélték, hogy körülbelül négyszázötven méterről, egy fa mögül érkezhetett a lövés, mivel ott a talaj láthatóan meg volt bolygatva.

Cleary kora délután tért vissza.

– Kérdeztél tőlem valamit – mondta.

Kleb bólintott, de nem szólalt meg.

– Tudtad, hogy az eset megoldatlan – jelentette ki Cleary.

Kleb megint csak bólintott, de nem szólalt meg.

– Olvastad az aktát.

– Igen – erősítette meg Kleb.

– Az összes aktát olvastad.

– Igen – felelte Kleb újra.

– Van még bármi ehhez hasonlónk?

Egy adatbázisra vonatkozó kérdés: az első a pályafutása alatt.

– Nincs – mondta Kleb.

– Kár!

– De a két ügy nagyon hasonló.

– Miért is reméltem, hogy talán van egy harmadik?

– Úgy gondolom – lendült bele Kleb –, hogy a négyszázötven méteres lőtávolság fontos.

– Most már nyomozó is vagy?

– Nem, de észreveszek mintázatokat. Sok lőfegyver általi gyilkosság történt a parkban. Majdnem kivétel nélkül minden esetben közelről adták le a lövést. Egyszerűbb egyenesen odasétálni valakihez, mint a fák között, a kanyargós utakon próbálkozni. A távoli puskalövés egy anomália. Arra utal, hogy az elkövető mindenképpen ragaszkodott a távolsághoz. Vagy arra enged következtetni, hogy jól ismerte a helyet, esetleg képzett lövész volt. Talán éppen ezért tudta, hogyan kell csinálni.

– Gondolod, hogy egy leszerelt katonáról van szó?

– Valószínűnek tartom.

– Én is annak tartom, Einstein. A második világháború és a koreai háború után a fél ország veterán. Vagyis a híd alatt lakó hobótól a Pentagon háttérirodáiban dolgozó nagymenőkig bárki lehetett. Az Egyesült Államok elnöke is veterán. Ez nem vezet bennünket sehová. Gondolkodj tovább, zsenikém! Ebben jó vagy, nem igaz?

– Van kapcsolat az áldozatok között?

– Azon kívül, hogy komcsik voltak? – kérdezte Cleary.

– Miért, azok voltak?

– Azt állították magukról, hogy nem azok, és ezt időről időre hangoztatták is. Semmi egyéb nem volt bennük közös. Sosem találkoztak, és amennyire ezt mi meg tudjuk állapítani, nem is tudtak egymásról.

– Pontosan így nézne ki a dolog, ha kémek lettek volna.

– Így van – mondta Cleary.

– És akkor is, ha nem lettek volna azok.

– Ebből következően ez a szál pont ugyanúgy nem vezet bennünket sehová. Gondolkodj tovább, nagyokos!

– Milyen lehet egyszerre szovjet emigránsnak és átállt exkommunistának lenni?

– Szerintem menő – jelentette ki Cleary.

– Ugyanakkor nehéz – mondta Kleb. – Nem gondolod? Az illetőnek meg kellene dolgoznia azért, hogy elfogadják. Elvárnák tőle, hogy rendszeresen megerősítse a róla kialakult képet. Említetted, hogy az áldozatok időről időre hangot adtak ennek, így valamekkora ismertségre biztosan szert tettek a környéken.

– Számít ez?

– Azon tűnődöm, hogyan tudta az elkövető négyszázötven méterről beazonosítani, hogy a célpontjai oroszok.

– Talán csak véletlen, hogy oroszok voltak. Lehet, hogy épp arra sétáltak a parkban. Könnyű célpontot jelentettek.

– Nem sok orosz akad errefelé. Elég kicsi az esélye, hogy csak véletlen volt. De minden bizonnyal előfordulhat. Habár van egy olyan érzésem, hogy nem lehetett szimplán a véletlen játéka. Ez majdhogynem egy filozófiai kérdés.

– Micsoda?

Kleb először végigpörgetett a fejében egy mondatot, majd meg is formálta a szavakat.

– Van egy második vitatható pont, ami lehet, véletlen, de megeshet, hogy nem az – bökte ki végül. – Vajon túlzottan véletlen egybeesés, hogy két másik dolog is véletlen egybeesésnek tűnik? Vagy ez a három dolog felerősíti egymást, és még inkább valószínűsíti, hogy a következtetés inkább igaz, mint hamis? Ez egzisztenciális kérdés.

– Érthetően beszélj, lökött fiú!

– Azt hiszem, a dátumok fontosak lehetnek. Magyarázatot adhatnak arra, hogy az áldozatok oroszok. Persze ha mindez csak véletlen, akkor nem. Akkor a teóriám kártyavárként omlik össze.

– Milyen dátumok?

– A gyilkosságok napja: 1953. január 31. és 1954. január 27. A tavalyi és a mostani.

– Mi bennük a közös?

Kleb újabb mondatot futtatott végig az agyán, majd próbaképp el is tátogta a szavakat. Hosszú frázis volt. Rendben találta, ezért végül hangosan is kimondta:

– Szerintem egy német nemzetiségű, harminc év körüli személyt kellene keresnetek. Szinte biztosan helyi lakos, egy korábbi hadifogoly, akit Kansasben, Iowában vagy valami hasonló helyen tartottak fogva, és gyalogosként, valószínűleg mesterlövészként szolgált. Szinte biztosan helyi lányt vett feleségül, és így telepedett le itt. De sosem adta fel a hitet, az tovább élt benne. Bizonyos dolgok felzaklatják, mint például 1953. január 31.

– Miért lett volna így?

– Aznap volt a tizedik évfordulója annak, hogy a németek végleg megadták magukat Sztálingrádnál. Ez volt az első vereségük: katasztrofális hiba, a vég kezdete. Ez a megszállott pedig vissza akart vágni. Talált egyet a vörösök közül a környéken. Talán hallotta beszélni a Legion Hallban. Aztán lelőtte a parkban.

– A dátum totális véletlen is lehet.

– Akkor a mainak is annak kell lennie. Épp ezt próbálom megfejteni: vajon az, hogy a két dátum együtt jelentéssel bír, azt jelenti-e, hogy valóban így van?

– Mi van ma?

– A tizedik évfordulója annak, hogy véget ért Leningrád ostroma. Egy újabb katasztrofális német visszavonulás. Egy újabb hatalmas, szimbolikus kudarc. Sztálin és Lenin városai túlélték, a mi megszállottunknak pedig ez nem tetszett.

– Hány ilyen évforduló jön még?

– Innentől fogva sűrűn és gyorsan követik egymást – felelte Kleb. – Ezek után jött az Armageddon: Berlin bukása május 2-án.

Cleary hosszan hallgatott, majd pislogott egyet.

– Gondolkodj tovább, okos fiú! Ebben jó vagy.

Aztán elsétált.

Másnap Kleb hallotta, hogy Cleary hirtelen irányváltást rendelt el a nyomozásban, ami szinte azonnal eredménnyel is járt. Rögtön le is tartóztattak valakit. Egy harmincnégy éves német származású helyi lakost, aki korábban Kansasben raboskodott hadifogolyként, azt megelőzően pedig mesterlövészként szolgált egy elit német egységnél. Egy kansasi nőt vett feleségül, és most Kaliforniában élt. Clearyt kitüntették, dicséretet kapott, és bekerült a neve az újságokba. Egyszer sem tett említést a segítségről, amit Klebtől kapott. Még magának Klebnek sem, ami hosszú távon megszokottá vált. A félénk, ügyetlen, furcsán maníros Kleb, akiről általában senki sem vett tudomást és mindenki elkerülte, negyvenhat évet dolgozott abban az alagsorban. A saját objektív számítása alapján negyvenhét különböző esetben nyújtott lényegi segítséget, átlagosan picivel több mint egy esetben évente. Sosem köszönte meg senki, sosem ismerte el senki. Úgy ment nyugdíjba, hogy nem kapott ajándékot, nem jutott neki búcsúbeszéd vagy búcsúbuli. Ennek ellenére boldog nap volt a számára, mert aznap volt a holdra szállásnak, illetve annak az évfordulója, hogy az első Mars-járó landolt a vörös bolygón. És ő szerette az efféle egybeeséseket.

Az ötvenkaliberes megoldás

A legtöbb esetben először felmérem az ügyfelet, aztán a célpontot, és csak mindezek után szabom meg az árat. A józan ész és a változók diktálnak. Ha az ügyfél gazdag, többet kérek. Ha a célpont kihívás, többet kérek. Ha komoly kiadások merülnek fel, többet kérek. Tehát ha a tengerentúlon dolgozom egy milliárdos megbízásából egy mindentől távoli búvóhelyen tartózkodó, képzett biztonsági csapattal körülvett célpont likvidálásán, akár százszor többet kérek, mint amennyit egy helyi csajtól, aki a házassági problémáit szeretné gyors és nem túl legális módon megoldani. Változók és józan ész.

De ez alkalommal a tárgyalások másképpen indultak.

A pasas, aki eljött hozzám, gazdag volt. Ez egyértelműen látszott. Mélyen a pórusaiban ült a jómód. Nem csak a ruháiról sütött, nem csak az autója volt árulkodó. Ez a fazon mindig is gazdag volt, talán már generációk óta. Magas volt, sápadt, ezüstös hajú és magabiztos. Valódi patrícius. Áradt a tartásából, a beszédstílusából, abból, ahogy irányította a dolgokat.

A megbeszélést a fegyver kiválasztásával kezdte.

– Úgy tudom, már számos alkalommal használt Barrett M90-est – mondta.

– Jól tudja – helyeseltem.

– Szereti?

– Remek puska.

– Tehát az én esetemben is azt fogja használni.

– A fegyvert én választom – mondtam erre.

– Mi alapján?

– A körülmények döntik el.

– Erre lesz szüksége.

– Miért? – kérdeztem. – Nagy lőtávolságról beszélünk?

– Talán úgy kétszáz méterről.

– Kétszáz méterhez nincs szükségem egy Barrett M90-esre.

– De én azt akarom.

– A célponton golyóálló mellény lesz?

– Nem.

– Valamilyen járműben ül majd?

– Szabadtéren lesz.

– Akkor egy 308-ast fogok használni. Vagy valami európait.

– Én az ötvenkaliberes töltényt akarom.

– Egy 308-as vagy egy NATO-lövedék éppúgy halálos kétszáz méterről.

– Vagy talán mégsem.

Ránézésre meglehetősen biztos voltam benne, hogy ez a pasas soha életében nem lőtt 50-es Barrett-tel, 308-as Remingtonnal, M16-ossal, esetleg FN-nel vagy HK-val. Vagy egyáltalán bármilyen puskával. Valószínűleg egyáltalán nem lőtt még semmivel soha, kivéve esetleg sörétes pisztollyal még gyerekkorában vagy riasztópisztollyal felnőttként.

– A Barrett egy nehézkes fegyver– mondtam. – Több mint egy méter hosszú, és nem szétszerelhető. Tíz kilót nyom. Állvány kell hozzá, az isten szerelmére! Olyan, mint egy löveg. Nehéz elrejteni. És nagyon hangos. Talán a leghangosabb puska a világtörténelemben.

– Tetszik nekem az ötvenkaliberes töltény – felelte erre.

– Adok magának egyet – mondtam. – Bearanyoztathatja, és a nyakába akaszthatja egy láncon.

– Azt akarom, hogy azt használja.

Kezdtem azt gondolni, hogy ez a pasas talán szadista. A kaliberek esetében ötven nem jelent mást, mint fél hüvelyket. Egy fél hüvelyk átmérőjű ólomlövedék hatalmasnak számít. Körülbelül hat dekát nyom, és bármely tisztességes puska megközelítőleg háromezer-kétszáz kilométer per órával lövi ki. Ez a lövedék képes utolérni és leszedni egy vadászrepülőt. Egy embert kétszáz méterről egyszerűen ketté fog szakítani. Olyan, mintha lenyeletnél valakivel egy bombát, aztán felrobbantanád.

– Ha látványosat szeretne, közelről is csinálhatom egy késsel – mondtam. – Tudja, ha üzenni akar vele.

– Nem ez a lényeg – mondta. – Szó sincs semmiféle üzenetről. Az eredmény a fontos.

– Kötve hiszem – feleltem. – Kétszáz méterről bármi eredményes lesz. Egy behajtható válltámasszal ellátott rövid puska is megteszi, és utána a fegyvert a kabátom alá rejtve simán elsétálok. Vagy az is megteszi, ha csak elhajítok egy követ.

– Azt akarom, hogy a Barrettet használja.

– Drága lesz – mondtam. – Ott kell majd hagynom. És annak borsos ára van, ha nem akarjuk, hogy lenyomozható legyen. Már önmagában a löveg is többe fog kerülni, mint egy külföldi autó. És akkor az én díjamról még nem is beszéltünk.

– Rendben – mondta habozás nélkül.

– Ez nevetséges – feleltem.

Erre nem reagált. *Kétszáz méter, golyóálló mellény nélkül, a szabadban. Ennek semmi értelme*, gondoltam. Úgyhogy megkérdeztem:

– Ki a célpont?

– Egy ló – felelte.

Másodpercekig hallgattam.

– Milyen ló?

– Egy telivér versenyló.

– Magának vannak versenylovai? – kérdeztem.

– Több tucat – válaszolta.

– Jók?

– A legjobbak közül valók.

– Tehát a célpont egy rivális?

– Egy tüske a körmöm alatt.

Így már jóval érthetőbbé vált a helyzet.

– Nem vagyok idióta – folytatta a férfi. – Alaposan átgondoltam. Véletlennek kell tűnnie. Nem lőhetjük csak úgy fejbe a lovat. Az túlságosan egyértelmű lenne. Úgy kell kinéznie, mintha a valódi célpont a tulajdonos lenne, és a ló a félrement golyó miatt csupán járulékos veszteség lenne. Úgyhogy a lövésnek nem szabad célzottnak tűnnie. Mintha véletlenül találta volna el a nyakát, a szügyét vagy bármit. Viszont a végeredménynek mindenképp halálnak vagy maradandó károsodásnak kell lennie.

– Ami megmagyarázza, miért ragaszkodik a Barretthez – foglaltam össze.

Bólintott. Én visszabólintottam. Egy telivér versenyló körülbelül fél tonnát nyom. Egy ekkora testbe véletlenszerűen belelőni egy 308-assal vagy egy NATO-lövedékkel valóban nem lenne elegendő, ha a cél az, hogy a lövés maradandó károsodást okozzon, vagy végezzen az állattal. De egy nagy ötvenes kaliberű töltény majdnem biztosan célt érne. Hiába nyomsz fél tonnát, egy szemetes nagyságú lukkal az oldaladon igencsak nehéz lenne tovább küzdeni.

– Ki a tulajdonos? – kérdeztem. – Hihető célpont ő maga is?

A pasas elárulta, ki az, és egyetértettünk abban, hogy hihető. Szóbeszéd, kétes kapcsolatok...

– És mi a helyzet magával? – kérdeztem ezek után. – Maguk ketten személyes ellenségek?

– Úgy érti, gyanús lehetek-e mint az elvétett lövés megrendelője?

– Pontosan.

– Semmiképpen – felelte az emberem. – Nem ismerjük egymást.

– Leszámítva, hogy rivális tulajdonosok.

– Százával vagyunk rivális tulajdonosok.

– Nyer majd bármelyik lova, ha az övé nem?

– Mindenképpen ezt remélem.

– Tehát mégis magára terelődhet a gyanú.

– Nem, hogyha úgy tűnik, hogy a férfi volt a célpont, nem a ló.

– Mikor? – kérdeztem.

Azt válaszolta, hogy bármikor az elkövetkező négy napon belül.

– Hol? – kérdeztem.

Elmondta, hogy a ló jelenleg egy lovardában van, valahol délen. A hely maga a lóparadicsom: hatalmas mezők, dús fű, fehér kerítések, hullámzó dombok. Mesélt a vidéket hosszan átszelő, galoppnak nevezett útvonalakról, ahol a lovak közvetlenül napfelkelte után edzettek. Mesélt a csendről és a hajnali ködről. Mesélt arról, hogy a tulajdonos már egy héttel a nagy versenyek előtt minden reggel megjelenik, hogy felmérje, milyen formában van a lova, és hogy gyönyörködjön az erejében, a gyorsaságában, a bájában és az étvágyában. Mesélt azokról az elszórt facsoportokról, amelyek a tájat tarkítják mindenfelé, és remek fedezéket nyújthatnak. Aztán elhallgatott. Egy kicsit bután hangzott, de azért feltettem a kérdést:

– Van fényképe a célpontról?

Elővett egy borítékot a zakója belső zsebéből. Odanyújtotta nekem. A fénylő, színes fotón egy telivér szerepelt. Beállítottnak tűnt, mintha reklámozna valamit. Mint amikor egy színész vagy egy színésznő portfóliót készíttet magáról. Ez a bizonyos ló pompás állat volt. Magas, izmos, csillogó szőrű, szinte teljesen koromfekete, egyetlen fehér folttal a pofáján. Igazán gyönyörű.

– Rendben – egyeztem bele.

Aztán az emberem feltette a saját kérdését:

– Mennyi?

Érdekes probléma. Gyakorlatilag egy ló meggyilkolásáról szőttünk összeesküvést. A legtöbb államban ez vagyon elleni bűncselekménynek számít, elég messze áll az emberöléstől. És már egyébként is volt egy lenyomozhatatlan Barrett M90-esem. Ami azt illeti, három is akadt belőle. A sorozatszámuknak az izraeli hadseregben veszett nyoma. Az egyik már eléggé használt volt. Amúgy is elérkezett az ideje, hogy új csövet kapjon. Épp alkalmas lenne eldobható fegyvernek. Elég rizikós hidegen tüzelni egy használt csőből, ha emberről van szó, de egy ló méretű célpont esetében kétszáz méterről nem lehet gond. Ha az állat legzsírosabb részére célzok, akár harminc centi tévesztést is megengedhetek magamnak.

Persze erről mélyen hallgattam. Helyette inkább fennhangon morfondíroztam azon, mennyi egy ilyen puska, és mennyit kell ráfizetnem majd a lenyomozhatatlanság érdekében a papírmunka miatt. Aztán beszéltem a kockázatról, és vártam, hogy majd leállít. De nem tette. Látszott, hogy megszállottan eltökélt. Célja volt. Azt akarta, hogy az ő lova nyerjen, és ez minden realitást elhomályosított előtte. Mint amikor egyesek becsavarodnak, ha elárulják, megcsalják vagy üzletileg átverik őket.

Még egyszer rápillantottam a fényképre.

– Százezer dollár – közöltem.

Nem válaszolt.

– Készpénzben – tettem hozzá.

Hallgatott.

– Előre – fejeztem be.

Bólintott.

– Egy feltétellel – szólalt meg. – Ott akarok lenni. Látni akarom, ahogy megtörténik.

Ránéztem, aztán ismét a fotóra, és beugrott a száz rugó képe.

– Oké – feleltem. – Ott lehet.

Kinyitotta az aktatáskát, amely eddig a lábánál hevert, és elővett egy köteg pénzt. Kinézetre, szagra és érzetre is rendben lévőnek tűnt. Minden bizonnyal több is volt a táskában, de engem ez nem érdekelt. Egy százas megfelelt ilyen körülmények között.

– Holnapután – mondtam.

Megbeszéltük, hol találkozunk, ott lent, délen, a lóparadicsomban, aztán elment.

Oda rejtettem a pénzt, ahová mindig is szoktam, vagyis a tárolómban található fémládába. Ha kinyitod a ládát, legelőször egy emberi koponyát pillantasz meg egy lezárható fagyasztótasakban. A fehér sávban, ahová általában felírod, mit teszel bele, ez áll: *Ez az ember próbált megkopasztani.* Mindez persze nem igaz. A koponyát egy régiségboltban vettem. Valószínűleg valami Indiából származó utánzat orvostanhallgatóknak.

A pénzesláda mellett volt a fegyveresláda. Kivettem a használt Barrettet, és átvizsgáltam. Szétszedtem, megtisztítottam, beolajoztam, tisztára töröltem, majd újra összeraktam, mindezt gumikesztyűben. Megtöltöttem egy friss tárat, azt is még kesztyűben. Aztán beraktam a tárat a puskába, és a fegyvert csövével előre becsúsztattam egy régi, vállra akasztható golftáskába, majd a táskát betettem az autóm csomagtartójába, és otthagytam.

A versenylóról készült képet kitűztem a házamban a kandallópárkányra. Sok időt töltöttem előtte, sokat nézegettem.

A megbízómmal a megbeszélt helyen és időben találkoztunk. Vagyis egy órával napfelkelte előtt, egy elhagyatott útkereszteződésnél, ahonnan földút vezetett egészen egy távoli facsoportig. Hideg volt. Az emberem kabátot és kesztyűt viselt, nyakában távcső lógott. Rajtam is volt kesztyű, gumiból. Viszont távcső nem volt nálam, csak a Barrettem a golftáskában, egy Leupold & Stevens.

Nyugodt voltam. Éppúgy éreztem magam, mint mindig, amikor ölni készültem, vagyis nagyjából sehogy. A megbízóm viszont nem tűnt nyugodtnak. Szinte már kéjesen remegett a várakozástól, mint egy pedofil a Thaiföld felé tartó repülőjáraton. Ez nem igazán tetszett.

Egymás mellett sétáltunk a harmatban. A talaj kemény és rögös volt a korábbi lábnyomoktól. Rengeteg volt belőlük, minden irányból.

– Ki járt erre? – kérdeztem.

– Versenytanácsadók, sportújságírók, sportfogadók – felelte. – Belsős infókat akarnak szerezni.

– Olyan, mint a Times Square – mondtam. – Nem tetszik.

– Ma nem lesz gond. Senki nem jár már erre. Ezt a lovat mindenki ismeri. Mind tudják, hogy álmában is tud nyerni.

Csendben haladtunk tovább. Elértük a facsoportot. Az északi végén elkeskenyedő, ovális alakja volt. Addig helyezkedtünk, amíg tisztán ki nem láttunk a fatörzsek között. A hajnali fények már bevilágították az eget. Kétszáz méterre lefelé a dombon széles, füves tisztás nyílt, amely tele volt keréknyomokkal. Vékony, szürke köd ereszkedett le.

– Ez az? – kérdeztem.

A megbízóm csak bólintott.

– A lovak dél felől jönnek. Az autók nyugatról. Itt találkoznak.

– Miért?

– Nincs különösebb oka. Afféle rituálé. Hátbaveregetés és nagyképűsködés. A tulajdonosi büszkeség.

Kivettem a Barrettet a golftáskából. Már korábban eldöntöttem, hogyan fogom beállítani a lövést. Nem hoztam állványt. Azt akartam, hogy a fegyver alacsonyan és szabadon álljon. Fél térdre ereszkedtem, és a puskacsövet egy ághajlatban pihentettem. Belenéztem a távcsőbe. Felhúztam a reteszt, és éreztem, ahogy az első, fenséges ötvenes lövedék a helyére csúszik a töltényűrben.

– Most várunk – mondta az emberem. A vállamnál állt, nagyjából egy méterre jobbra és egy méterrel hátrébb tőlem.

Először az autók érkeztek meg. Terepjárók voltak. Öreg, saras és itt-ott horpadt munkagépek. Egy Jeep és két Land Rover. Öt férfi szállt ki belőlük. Négy szegénynek tűnt, egy gazdagnak.

– Az edző, az istállófiúk és a tulaj – mondta az emberem.

– A hosszú kabátos a tulaj.

Mind az öten egy helyben toporogtak, lélegzetük apró felhőként gomolygott a fejük körül.

– Hallgassa! – szólt az én emberem.

Valahonnan messze balról, dél felől jött a hang. Dobogást hallottam, és mintha hatalmas pumpák köhögtek és fújtattak volna. Lópaták és az édes, friss reggeli levegőt gallonszámra keringető, hatalmas lótüdő.

Lassan lekuporodtam a földre.

– Készüljön! – mondta az emberem mögülem.

Összesen tíz ló közeledett. Kissé rendetlen, nyílhegy formájú alakzatban jöttek. Lassítottak, kicsúsztak a vonalból, felcsapták a fejüket. Erős fújtatásuk vad, méteres, trombita alakú párafelhőket formázott előttük.

– Mi ez? – kérdeztem. – Az egész ménes?

– Kötelék – mondta a megbízóm. – Így hívjuk. Ez az ő teljes első köteléke.

A szürke hajnali fényben, a pára alatt nekem minden ló egyformának tűnt.

De ez nem számított.

– Készen áll? – kérdezte az emberem. – Nem lesznek itt sokáig.

– Nyissa ki a száját! – mondtam én erre.

– Micsoda?

– Nyissa ki a száját, jó nagyra. Mintha ásítana!

– Miért?

– Hogy kiegyenlítse a nyomást. Mint egy repülőn. Mondtam magának: ez egy hangos fegyver. Különben szétrobbantja a dobhártyáját. Egy teljes hónapra megsüketül.

Hátrapillantottam, hogy leellenőrizzem. Kinyitotta ugyan a száját, de csak úgy félig-meddig, mint amikor valaki arra vár, hogy a fogorvos megnézze a röntgenfelvételt, és visszaforduljon hozzá.

– Nem jó. Nézze! – mondtam, és megmutattam neki. Olyan nagyra tátottam a számat, amennyire csak lehetett, és az államat annyira hátrahúztam, hogy az állkapcsom körüli inak már szinte fájtak.

Leutánzott.

Gyorsan és lágyan félkörívben magasra lendítettem a Barrett csövét, mint amikor a vadász lekövet egy felriasztott madarat, aztán meghúztam a ravaszt. Az emberem szájpadlására céloztam. Az óriási puska eldördült, és lökött egyet, az emberem koponyája pedig szétloccsant, mint amikor feltöröd a keményre főtt tojást. A teste terpeszben csuklott össze. Ráejtettem a puskát, lehúztam a jobb cipőjét, és ledobtam a földre. Aztán elfutottam. Két perccel később már az autómban ültem. Négy perccel később másfél kilométerre jártam.

Én száz rugóval beljebb voltam, a világ viszont kevesebb lett egy iparmágnással, egy filantróppal és egy versenyló-tulajdonossal. Ezt írták a vasárnapi lapok. Öngyilkosságot követett el. A zsaruk szerint kínozta a tudat, hogy a lova mindig csak második lett. A rivális edzésén kémkedett, talán abban a reményben, hogy észrevesz valami gyenge pontot. De valószínűleg nem talált semmi kapaszkodót, így aztán beszerzett egy orvlövészek által használt fegyvert, amely legálisan utoljára az Izraeli Védelmi Erők birtokában volt. Talán azt tervezte, hogy lelövi a rivális lovat, de az utolsó pillanatban nem volt képes a tervét véghez vinni. Így aztán lelkileg összetörve és depresszióba süllyedve önmaga ellen fordította a fegyvert, a csövet a szájába vette, lerúgta a cipőjét, és a lábujjával húzta meg a ravaszt. Egy nagyjából ugyanolyan magas rendőrtiszt segítségével rekonstruálták az esetet, hogy bizonyítsák, mindez fizikálisan lehetséges, még egy olyan hosszú fegyver esetében is, mint a Barrett.

Az újság utolsó lapjain kaptak helyet a lóversenyeredmények. A nagy, fekete ló hét hosszal nyert. Lemosta a pályáról az emberem indulóját.

Sokáig megtartottam a fényképet a kandallópárkányon. Egy lány, akivel jóval később találkoztam, észrevette, hogy ez az egyetlen fotó a házban. Megkérdezte, jobban szeretem-e az állatokat, mint az embereket. Én azt feleltem, hogy igen, általában. Imponált neki a válasz. De nem annyira, hogy sokáig maradjon.

Tömegközlekedés

Azt mondta, nem beszél velem. Kérdeztem, hogy miért. Azt mondta, azért, mert ő zsaru, én meg újságíró vagyok. Mondtam neki, hogy ez úgy hangzik, mintha lenne valami rejtegetnivalója. Azt mondta, nincs. Semmi rejtegetnivalója nincs.

– Akkor meséljen! – kértem, és tudtam, hogy fog is.

Még egy percig vacillált, ujjaival dobolt a bárpulton, és fészkelődött egy kicsit a bárszéken. Elég jól ismertem. A karrierje épp most ívelt lefelé. A legjobb éveit már maga mögött hagyta. Mélypontra ért, és még tíz hosszú év állt előtte a nyugdíjig. Szeretett nyerni, de nem izgatta túlságosan az sem, ha veszített. Realista volt. Viszont szeretett biztosra menni. Utálta a bizonytalanságot, ha nem tudta pontosan, nyert-e, vagy vesztett.

– Kezdje az elején! – utasítottam.

Rántott egyet a vállán, kortyolt a söréből, sóhajtott, és a szemközt lévő tükörre fújta a füstöt. Aztán a segélyhívással kezdte. Egy hosszan elnyúló, földszintes, elegáns, kerítéssel körülvett farmház Chandler kisvárosán túl, délkeletre, egy kivilágítatlan medence, a sötétség. A szülők, akik éppen egy partiról értek haza. A csend. A betört ablak, az üres ágy. A vérnyom végig a folyosón. A tizennégy éves lányuk teste, széttépve. A látványról még most sem volt képes beszélni.

– Nem hoztak minden részletet nyilvánosságra – tettem hozzá.

– Honnan tudja? – kérdezte.

– Maguk, zsaruk mindig ezt csinálják, hogy ne befolyásolják a vallomásokat.

Bólintott.

– Hány vallomást gyűjtöttek be?

– Száznyolcat.

– Mind vakvágány?

– Persze.

– Milyen információt tartottak vissza?

– Nem fogom magának elmondani.

– Miért nem? Nem biztos abban, hogy a megfelelő fickót kapcsolták le?

Nem válaszolt.

– Folytassa! – kértem.

Folytatta. A helyszín egyértelműen friss volt. A szülők pillanatokkal azután érhettek haza, hogy az elkövető lelépett. A rendőrség gyorsan kiért. A vér a folyosószőnyegen még meg sem száradt. A sötétvörös még nem fordult át feketébe, kiemelte a gyerek sápadt bőrét. A lány bőrszíne az elejétől fogva gondot jelentett. Mind tudták ezt. A helyzet hozta, hogy gyorsan és teljes erőbedobással tudtak cselekedni. Nem is késlekedtek, de előre tudták, hogy később majd épp azzal fogják vádolni őket, hogy ez a gyorsaság a gyermek bőrszínének volt köszönhető. Valóban, a gyermek fehér volt, nem fekete vagy barna. De nem ezen múlt. Szerencse és jó időzítés kérdése volt az egész. Kaptak egy friss helyszínt, és találtak néhány nyomot, amelyen el tudtak indulni. Bólintottam, mint aki elfogadja az álláspontját, és el is fogadtam. Újságíró voltam, és ugyanúgy, mint bárki más, szeretem a rosszat feltételezni, de van, hogy a dolgok egyértelműek.

– Mondja tovább! – biztattam.

A házban mindenfelé fényképeket lehetett látni a gyerekről. Egyke volt. Ragyogóan, kábítóan szép. A tizennégy éves, fehér, arizonai lányok gyakran azok.

– Folytassa! – mondtam.

Az első nyomot az időjárás szolgáltatta. Két nappal korábban özönvízszerű eső hullott a környéken, hogy aztán a kánikula újult erővel visszatérjen. Az eső homokkal és sárral fedte be az utakat, amit aztán a hőség porrá égetett, és a porban nem látszott más autónyom, csak a szülőké, a rendőröké és a mentőé. Vagyis az elkövető gyalog érkezett, és gyalog is távozott. A cipőnyomok a porban egyértelműek voltak. Körülbelül negyvenhármas méretű sportcipő, átlagos talpnyomok. Az ezekről készített fényképeket e-mailben továbbküldték, és mindenki biztos volt benne, hogy csak idő kérdése, és valahol, egy adatbázisban találnak megegyező márkát és fazont. De ennél fontosabb volt, hogy a gyanúsítottjuk csak nemrég indult el a tett színhelyéről gyalog, egy olyan vidéken, ahol senki nem szokott sétálgatni. Ezért öt kilométeres körzetben azonnal riasztást adtak ki a járőröknek. Éjfél volt, és több mint harminchét fok. Ilyenkor ritkán botlasz gyalogosokba. Egyszerűen túl nagy volt a hőség a sétálgatáshoz. A futásról nem is beszélve persze. Bárminemű hosszasabb mozgás felért volna egy öngyilkossági kísérlettel. Phoenix környéke már csak ilyen hely, főleg nyáron.

Eltelt tíz perc, és még nem bukkantak a szökevény nyomára.

Aztán jött a következő nyom. A szülők szerencsére észnél voltak. A fájdalmas sírás és jajveszékelés közepette is észrevették, hogy a lányuk telefonja eltűnt. Ez volt a gyerek mindene. Egy iPhone korlátlan beszélgetést biztosító AT&T-előfizetéssel, amelyet a lány a végletekig ki is használt. Akkoriban az iPhone még újdonságnak, menő cuccnak számított. A zsaruk feltételezték, hogy az elkövető vitte el. Azt gondolták, egy olyan fazon, akinek nincs autója Arizonában, valószínűleg transzba esett egy ilyen apró, csillogó kütyütől. Vagy ha az illető egy perverz állat, akkor gyűjti a szuveníreket. Talán izgalmas volt a gyerek barátairól készült sok fotó vagy a memóriában tárolt üzenetek.

– Folytassa! – mondtam.

A harmadik nyom egyenesen következett abból, hogy középosztálybeli szülőkről és a tizenéves lányukról volt szó. A szülők előfizettek egy olyan szolgáltatásra, amellyel le tudták követni az iPhone-ban lévő GPS-chipet a saját otthoni számítógépükről. Nem olcsó, de ők tudni akarták, vajon igazat állít-e a gyerek, amikor azt mondja, a barátnőjénél alszik, vagy egy haverja elviszi kocsival a könyvtárba. A zsaruk megkapták a jelszót, ott helyben beléptek a programba, és látták, hogy a telefon lassan észak felé, Tempe irányába mozog. Ahhoz túl gyors volt, hogy sétáljon vagy akár fusson vele valaki. Ahhoz viszont túl lassú, hogy autóban legyen.

– Bicaj? – vetette fel az egyik zsaru.

– Túl meleg van a biciklizéshez – felelte egy másik. – Ráadásul nem voltak biciklinyomok a feljárón.

A bárszéken mellettem ülő és nekem mesélő fazon még ott helyben összerakta a képet.

– Busz – mondta. – Az elkövető buszon ül.

Phoenix környékén sok busz járt. Főképpen korán reggel és késő éjjel ingáztak. Azokat a munkásembereket hozták-vitték, akik nem kerestek eleget ahhoz, hogy saját autójuk legyen. Az óriási város teljesen leállt volna nélkülük. Nem lett volna felszolgálva az étel, kitisztítva a medence, bevetve az ágy, összegyűjtve a szemét. Az összes zsarunak azonnal és egyöntetűen ugyanazok a durva vonások ugrottak be. Egy sötét bőrű, valószínűleg alacsony, őrült fickó, aki az észak felé tartó buszon ringatózik egy ülésen. Az iPhone-on böngészget, ellenőrzi a lejátszási listát, nézegeti a képeket. Talán még a kés is ott lapul a zsebében, bár ez már túl szép lett volna ahhoz, hogy igaz legyen.

Az egyik zsaru ott maradt a házban, figyelte a képernyőt, és úgy irányította a játékot, mint egy sportriporter. A riasztást visszavonták, minden autót és járőrt a busz után indítottak. Tíz percbe telt megtalálni. Tíz másodpercbe megállítani. Az autók gyűrűjébe zárt buszon villogtak és pattogtak a fényck, miközben a zsaruk motorháztetők, ajtók és csomagtartók mögé bújva, egy irányba szegezték a fegyvereiket. Pisztolyok és puskák, többtucatnyi egyszerre.

A buszon a sofőrön kívül még három utas tartózkodott.

A buszvezető nő volt, mindhárom utas idősebb hölgy, az egyik fehér bőrű. A sofőr vékony, harmincas, spanyol származású.

– Folytassa! – mondtam.

A mellettem ülő pasas ismét belekortyolt a sörébe. Elérkezett arra a pontra, ahol a nyomozás egyértelműen el lett fuserálva. Közel húsz percet töltöttek azzal, hogy kihallgatták és átkutatták a négy nőt. Le-fel járatták őket az utcán, hogy lássák, vajon a házban maradt rendőr érzékel-e közben GPS-mozgást a gép monitorján. De a kurzor nem mozdult. A telefon még mindig a buszon volt. A buszon viszont már nem ült senki. Megnézték az ülések alatt. Semmi. Átvizsgálták az üléseket.

Megtalálták a telefont.

A jobb hátsó, utolsó előtti szék fel volt hasítva egy késsel. A telefont élével gyömöszölték bele a habszivacs ülőpárnába. Ott adta ki magából csendben a jeleket. Hiábavaló fáradozás, csapda volt csupán.

Az ülésen ejtett vágást halvány vérnyom keretezte. *Ugyanaz a kés.*

A sofőr és a három utas is emlékezett egy fehér férfira, aki Chandlertől délre szállt fel a buszra. Leült hátul, és a következő megállónál le is szállt. A leírásuk szerint rendezett öltözéke volt, és középkorú lehetett. Épp azért emlékeztek rá, mert kilógott a sorból. Nem az a tipikusan busszal utazó fajta volt.

– Sportcipőt viselt? – kérdezték a zsaruk.

Egyik szemtanú sem emlékezett rá biztosan.

– Volt esetleg a férfin vérnyom?

Egyikük sem tudta megmondani.

A keresés Chandlertől délre indult újra. Feltételezték, hogy mivel a csalit úgy helyezték el, mintha az elkövető észak felé mozogna, valójában inkább dél felé haladt. Szép elmélet, de nem vezetett sehová. Senkit nem találtak. Az éjszakai sötét ellenére bekapcsolódott egy helikopter is a keresésbe, mivel hőkamerás felszereléssel rendelkezett. De ez sem volt a hasznukra, hiszen minden izzott a forróságtól, ami a látószögébe került.

Pirkadt, a helikoptert újratankolták, és ezúttal már hőkamera nélkül kutatott tovább. Aztán megint megtankolták, és megint. Napokig. A hosszú hétvége végén találtak valamit.

– Folytassa! – mondtam.

A helikopter segítségével találtak egy testet. Fehér férfi, sportcipőben, a húszas évei elején járhatott. Azonosításkor kiderült, hogy egy főiskolai hallgató, akit az előző napon láttak utoljára.

Egy nappal később a halottkém kiadta a jelentést. A férfival hőguta és kiszáradás végzett.

– Ez egybevághat azzal, hogy egy bűntett helyszínéről menekült? – kérdezték a zsaruk.

– Ez is lehet magyarázat – felelte a halottkém.

A férfi toxikológiai vizsgálata színes képet mutatott. Ecstasy, fű, alkohol.

– Elegendő ahhoz, hogy ne legyen beszámítható? – kérdezték a zsaruk.

– Egy elefántnak is elegendő ahhoz, hogy ne legyen beszámítható – felelte a halottkém.

A mellettem ücsörgő fickó végzett a sörével. Intettem egy újabbért.

– Ügy lezárva? – kérdeztem.

– Igen – bólintott a fickó. – Mivel fehér gyerekről van szó, muszáj volt eredményt produkálni.

– De magát nem győzték meg.

– Nem volt középkorú. Nem volt rendezett az öltözéke. A sportcipő sem stimmelt. Késnek nyoma sem volt. Ráadásul aki ennyire túltolja magát, hogy a hőségben a halálba szalad, nem tudott volna kitervelni egy ilyen elterelést a telefonnal.

– Akkor ki lehetett a srác?

– Csak egy diák, aki kicsit túlságosan szeretett bulizni.

– Volt, aki osztotta a véleményét?

– Mindenki.

– És tett bárki bármit az ügyben?

– Az ügy le van zárva.

– Szóval mi történt valójában?

– Szerintem az elterelés mindenképpen arra utal, hogy az egészet előre kitervelték, és ez dupla blöff volt. Szerintem az elkövető leszállt a buszról, és észak felé haladt tovább, talán egy olyan autóval, amelyet korábban ott parkolt le.

Bólintottam. Ez történt. Az autó, amelyet az elkövető használt, ebben a pillanatban éppen a bár mögötti parkolóban állt. A kulcsa az én zsebemben lapult.

– Egyszer fent, egyszer lent – mondtam.

Én és Mr. Rafferty

Abból tudom megmondani, milyen volt az éjszaka, hogy hol ébredek reggel. Ha jó voltam, ágyban vagyok. Ha rossz, akkor a kanapén. Jó vagy rossz, persze csupán a szavak megszokott, morális, jogi értelmében. Ami a teljesítményemet illeti, mindig jó vagyok. Mindig óvatos, a végletekig pontos, verhetetlen. Ehhez nem fér kétség. Viszont bizonyos különleges éjszakai tevékenységek jobban feszélyeznek, mint mások. Lefárasztanak, lerongyolnak, sebezhetővé tesznek, és ilyenkor amint visszatérek a bejárati ajtóm mögötti szentélybe, azonnal összeomlok.

Ma reggel a folyosó padlóján ébredek.

Az arcom a szőnyegbe süpped. Érzem a szőnyeg szálainak ízét az ajkamon. Szükségem van egy cigarettára. Lassan kinyitom az egyik szemem, és körbepillantok. Jobbra és balra, le és fel: keresem, amire szükségem van. De mielőtt továbbmegyünk, tisztázzuk: bármennyire vontatottan is olvasod ezeket a szavakat, bármilyen nagyvonalúan is értelmezed a lassú szót, bármennyire mély, tizenhatos fordulatszámú és lomha hang is szól a fejedben, bármennyire is próbálod beleélni magad, biztos még így is őrülten gyorsan rohansz, vágtázol, fénysebességhez közeli tempóval mozogsz ahhoz képest, amilyen lassan az én szemem valójában mozdul. Csak a szemhéjam felemelkedése közel öt percig tartott, az tuti. Arról nem is beszélve, hogy körbepásztázott a szemem a négy égtáj felé: irányonként legalább öt perc.

Rossz volt az éjszaka.

Holtbiztos, hogy van egy egész doboz cigaretta a dohányzóasztalon a nappaliban. Keményen összpontosítok abba az irányba. Megvan, de csalódott vagyok. A doboz már nem bontatlan.

Tulajdonképpen ebben az állapotában a legkevésbé vonzó egy doboz cigi: amikor nemrég felbontották, a kis kartontetőt felemelték, és egy szál hiányzik a felső sorból. Két okból is utálom ezt. Először is, a dobozt láthatóan meggyalázták. Pont úgy, mint amikor egy kedves barátodnak kiütik az egyik első fogát. Csúnya. Másodsorban, bármennyire próbálok is tenni ellene, a látvány visszarepít az iskolai számtanórára. Húsz szál cigaretta van egy új dobozban, három sorban elrendezve, de a húsz baromira nem osztható hárommal. Meglátok egy ilyen dobozt, és azonnal elönt a düh meg a paranoia: a cigarettagyártó cégek becsapnak engem. Még jó, hogy hazudnak. Szép eredményeket érnek el ezen a téren. Negyven éve húsz szálért fizetek, és ők végig csak tizennyolcat adnak. Tizennyolc osztható hárommal. Persze a huszonegy is, de komolyan azt akarod nekem bemagyarázni, hogy a dohánycégek többet adnának, mint amennyiért az ember fizet?

Szóval fekszem, és pihegek, de tisztázzuk: a világ legöregebb, legfáradtabb kutyája is százmilliószor gyorsabban veszi a levegőt, mint én. Egyetlen belégzés vagy kilégzés mintha egy jégkorszaknyi időt ölelne fel. Komplett fajok jelennek meg, érik el az evolúciójuk csúcsát, és halnak ki minden egyes reggeli lélegzetvételem közben.

Hagytam a helyszínen cigarettacsikket. Camelt, kettőt is, az egyre szélesedő vértócsához közel, de nem annyira közel, hogy elázzanak. Szándékosan, persze. Pontosan tudom, hogyan játsszák ezt a játékot. Nem vagyok kezdő. A rendőrségnek szüksége van a haladás illúziójára. Ami nem feltétlenül valódi előrelépés, de valamit mondaniuk kell a riportereknek, kellenek az elégedett mosolyok és a felvétel azokról a fontos dolgokról, amiket kis, opálos bizonyítékos zacskókban visznek magukkal. Szóval az igényeket figyelembe véve játszom. Az én érdekem is, hogy azt adjam nekik, amire szükségük van. Mr. Raferty kap tőlem mosolygásra okot adó meglepetéseket, és lefogadom, hogy ő tudja: ezek ajándékok.

Viszont hasznavehetetlenek. Ha a cigarettát száraz levegőn, óvatosan szívják, majdhogynem semennyi nyálat nem tart magában. Semmi DNS, és zéró ujjlenyomat. A papír rossz minőségű, és a nagyja amúgy is elég a közel ezer fokban. Úgyhogy az ajándékok nekem semmibe sem kerülnek, viszont elégedettséggel tölt el a tudat, hogy jól játszom a szerepem, és ezzel életben tartom az előadást.

Behajlítom a jobb kezem ujjait, belekarmolok a szőnyegbe, és elkezdem mikroszkopikus mozdulatokkal kapargatni az ellenálló anyagot. Meg kell terveznem a jövőbeli eseményeket: feltérdelni, felállni, levetkőzni, lezuhanyozni, újra felöltözni. Hosszú lista, sok-sok órányi munka. Természetesen reggeli kizárva. Már régen elhatároztam, hogy a legalapvetőbb illemet tiszteletben tartva nem eszem azután, hogy öltem. Éhes vagyok, ne gondold, hogy nem, de a beígért cigi segít majd ezen. Plusz a kávé. Készítek egy kancsóval, megiszom az egészet, és közben összevetem a kávé folyékonyságát a vérével. A vér nem olyan sűrű, mint ahogy azt az emberek gondolják, főleg ha akkora mennyiségben dolgozol vele, mint én a munkám során. Fröcsög, spriccel, ömlik és folyik. Látványos, és éppen ez a cél: Mr. Rafferty egyértelműen nem akar hétköznapi, jelentéktelen vagy szimplán csak hitvány eseteken dolgozni. Mr. Rafferty óriási vásznat akar, és én ezt adom neki. Óriási vásznat.

A bal tenyeremből tolom fel magam, és pár centire elemelem a vállamat a talajtól. Megszűnik a nyomás az arcomon. Biztos vagyok benne, hogy vörös folt marad a helyén. Nem vagyok fiatal. Az arcom petyhüdt és fehér. Már eltűnt belőle a tónus. De majd azt mondom, hogy a borotva volt, vagy a bourbon. Ismét a tőlem három méterre lévő, majdnem bontatlan dobozra koncentrálok. Csábító, és ebben a pillanatban még olyan távolinak tűnik, mint a hold. De oda fogok érni, ebben biztos lehetsz.

Nem emlékszem tisztán a tegnapi este történéseire. A részleteket Mr. Raffertynek kell feltárnia. Én vetek, ő arat. Ez egy munkakapcsolat. De még mielőtt félreértenéd: az én áldozataim megérdemlik a halált. Nem vagyok szörnyeteg. Számos áthághatatlan szabályom van. A célpontjaim kizárólag olyan bűnözők, akiktől hányingered lenne, és sosem bántok nőket meg gyerekeket. Azokat keresem, akiket Mr. Rafferty nem tud elérni. És ne holmi szerencsétlen, legalja utcai stricikre gondolj! Annál kicsit magasabbra teszem a mércét. De nem túl magasra, mert ott már esélyesebb a kudarc. Sem Mr. Rafferty, sem én nem tudunk a nagyhalak közelébe férkőzni. De a két véglet között igazán széles az öntelt, bűnös emberek palettája. Itt vadászom én. Két okból: megadja azt a ragyogó érzést, hogy ezzel a közt szolgálom, és még fontosabb, hogy ha okosan választok, azzal Mr. Raffertyt a lehető legkifinomultabb dilemmával szembesítem. Ha nyer, azzal veszít. Ha veszít, azzal nyer. Minél tovább nem sikerül neki a nyomomra bukkannia, a város annál több rossz embertől szabadul meg. A riporterek, akikkel dolga van, értik ezt, még ha nem is mondják ki hangosan. Mindenki – én, Mr. Rafferty, az állampolgárok, a lakosok – profitál ebből a tökéletes egyensúlyból.

Maradjon így sokáig!

Most el kell döntenem, hogy a jobb vagy a bal oldalamra forduljak. Választanom kell. Ez az egyetlen módja annak, hogy felkeljek a padlóról. Nem vagyok fiatal, nem vagyok már olyan virgonc. Úgy döntök, hogy balra gördülök. Teljesen kinyújtom a bal karomat, hogy a vállam ne legyen útban, és a jobbal ellököm magam. A hátamra fordulok: győzelem. Jól haladok, előbb-utóbb fel fogok állni. Tudom, hogy Mr. Rafferty is épp most kel fel, készen arra, hogy induljon a napja. Nemsokára érkezik a telefonhívás: *Megint egy!* Fejjel lefelé lóg, ha jól emlékszem, egy rég elhagyatott építési területet övező drótkerítéshez kötözve, kipeckelt szájjal, meggyalázva, úgy száz helyen megvagdosva. Vénák, artériák, torok. Nem emlékszem rá konkrétan, de azt hiszem, a combcsonti ütőérrel fejezhettem be, az ágyéknál, ott, ahol közel fut a felszínhez. Ez egy széles ér, és mivel a dobogó szív megfelelő nyomást biztosít, gyönyörű, rubin ívben spricceli a vért a magasba. Felteszem, a fazon az állát a mellkasához szorítva, iszonyattal nézett felfelé. Valószínűleg megkérdeztem a seggfejtől, hogy most mennyire élvezi a BMW-jét, a nagy házát, a karibi nyaralásokat és az ingyenszexet a szegény romániai lányokkal, akiket ő csábított az országba mindenféle hamis ígéretekkel. Azzal áltatta őket, hogy majd munkát kapnak a Saks Fifth Avenue-nál, hogy aztán bedrogozza őket, és undorító dolgokat csináltasson velük óránként hatszáz dollárért, amelynek a nagy részét megtartotta magának, amíg a lányok annyira függők és elgyötörtek nem lettek, hogy már semennyit sem voltak képesek keresni többé.

Nem mintha akár Románia, akár a lányok érdekelnének. Sosem lelkesedtem Kelet-Európáért, prostitúció pedig mindig is létezett. Bár tudtam, hogy a fazon, akit a kerítéshez kötöztem, brazil lányokat is futtatott, ők pedig valamennyire érdekelnek. Édes, sötét bőrű, félénk teremtések. Valójában én is rendszeresen igénybe veszem a szolgáltatásaikat, épp ez vezetett el az illetőhöz. Az egyik ilyen lány, akiért fizettem, és aki feleannyi idős sem volt, mint én, kérésre felmondta az általa nyújtott szolgáltatások listáját, amelyek között kifejezetten egzotikusak is szerepeltek. Én erre megkérdeztem, tényleg szeret-e ilyen dolgokat csinálni. Mint minden rendes kurva, először nagy lelkesedést színlelt, de én kitartóan kétkedtem. Élvezed, ha mélyen *egy idegen* ánuszába dughatod a nyelved? Végül bevallotta, hogy kényszerből teszi, mert különben megvernék. A férfi sorsa abban a pillanatban megpecsételődött, és úgy rémlik, először egy botot használtam, csak utána a kést. Nekem ugyanis fontos az igazságosság, és hiszek abban, hogy azt kapod, amit adsz.

De főképpen az egyensúly érdekel, a munkakapcsolat, és hogy Mr. Raffertyt folyamatosan ellássam feladattal. Ő is régi motoros, épp annyi idős, mint én, és az emberölés a szakterülete. Szeretem azt gondolni, hogy megértjük egymást, és hogy szüksége van rám.

Itt az ideje felülni. Mivel a történetmesélésnek megvan a maga módja, hadd tisztázzam ismét: nagyon hosszú idő telt el azóta, hogy kinyitottam a szemem. A gondolataim, bár papíron másképp mutatkozik, meg-megtorpanva, szakadozva, végtelenül lassan öltenek formát. Nem határozott, kirobbanó energiáról beszélünk. Ez a folyamat lassú. Megtámasztom magam a kezemmel a derekamnál, felemelem a fejem, kicsavarodom, és felemelkedem. Felülök.

Aztán pihenek.

Bevallom, az egyensúlynál és a munkakapcsolatnál azért többről van szó. A verseny is hajt. Mr. Rafferty és én. Ő ellenem. Ki fog nyerni? Talán egyikünk sem, soha. Úgy tűnik, tökéletesen összeillünk. Talán az egyensúly csupán eredmény, nem cél. Talán mindketten élvezzük az odáig vezető utat, és mindketten félünk a végállomástól.

Talán képesek vagyunk ezt örökké fenntartani.

Gondolatban előre átfutom a reggeli teendőket. A végső cél, mint oly sok embernél, hogy időben beérjek a munkába. Vár rám a nappali foglalkozásom. Gondolom, így kell hívnom. Elvárják a pontosságot, úgyhogy alig egy órával azután, hogy feltápászkodtam, magam alá húzom a lábamat, és felállok. A kezemmel a falnak támaszkodom, és két tántorgó lépéssel kiegyensúlyozom magam. Billegve megcélzom a nappalit, és enyém a jutalom: a reggeli cigim. Kihúzok egy második szálat a dobozból, majd visszacsukom a tetejét, hogy ne lássam a két kiütött fogat. Körbebámulok, bízva az örök érvényű igazságban, miszerint ahol cigi van, ott gyújtó is akad a közelben. Alig egy méterrel odébb találok egy sárga Bicet, és a hüvelykujjammal megpöccintem a kerekét. Meggyújtom a cigarettát, és mélyen, hálával telve letüdőzöm a füstöt. Aztán köhögök, pislogok, és a nap végre begyorsul.

A zuhany nyugtató. Fertőtlenítő szappant használok, karboltartalmú, orvosihoz hasonló terméket. Nem mintha lehetne rajtam bármilyen bizonyítékot adó nyomot találni. Nem vagyok új a szakmában. De szeretem a tisztaságot. Alaposan leellenőrzöm magam a tükörben. A szőnyeg nyoma az arcomon észrevehető, de arcpírnak is elmegy, teljesen rendben van. A választék mentén lefésülöm a hajam. Kicsomagolok egy inget, és felveszem. Kiválasztok egy öltönyt. Régi és piszkos, súlyos kaftánanyagból készült, amelyből enyhe izzadság, cigi és ezer egyéb olyan dolog szaga árad, amit egy városlakó általában magába szív. Megkötöm a nyakkendőmet, felhúzom a cipőt, összeszedem a felszerelést, amelyet az én pozíciómban szokás magadnál hordani. Kilépek az ajtón. A munkaadóm biztosít autót a számomra. Beülök a járműbe, és indulok. Még mindig korán van. Enyhe a forgalom. Semmi kellemetlen nem hangzik el a rádióban. A reggeli kutyasétáltatók még nem értek oda az elhagyatott építési területhez.

Megérkezem. Leparkolok. Bemegyek az épületbe. Mint általában minden munkahelyen, itt is egy recepciós fogad. De a mi recepciósunk nem egy modellalkatú, szép, fiatal hölgy, ahogy más helyeken szoktam látni, hanem egy tagbaszakadt férfi őrmesteri egyenruhában.

– Jó reggelt, Mr. Rafferty! – köszönt.

Viszonzom az üdvözlést, és megyek tovább, egyenesen az őrszobára.

Hetes műveleti egység

A csapat először egy keddi napon, késő este jött össze a lakásomon. Nem fokozatosan szállingóztak az emberek: az egyik pillanatban még nem volt ott senki, aztán egyszerre ott termett mindenki. A már kész egység hirtelen felbukkanása mindenképpen örvendetes volt, de egyben váratlan is. Lehettem volna hálás, sőt illett volna azonnal hálásabbnak mutatkoznom, de nem ment, mert első körben a lehetséges negatívumokra voltam kihegyezve. Vajon éppen kirabolnak? Előre kigondolt tervvel érkeztek? Már napokkal korábban belekezdtem a folyamatba a szokásos módon, vagyis óvatosan próbáltam felvenni a kapcsolatot a kulcsszereplőkkel, de legalábbis jeleztem, hogy bizonyos típusú kulcsfigurákat keresek a piacon. Rendes esetben ez a szakasz pár hétig is eltartott volna, tégláról téglára építkezve, egy embert beszervezve itt, egy másikat beszervezve ott, és mindezt virágkoszorúként egymásba fonódó, személyes ajánlások és javaslatok kísérték volna, majd az egyes területek specialistáinak türelmes toborzása következett volna, amíg végül minden a helyére nem kerül.

De most mind egyszerre jöttek. Vonakodtam elhinni, hogy egy ilyen együttállást a hírnevemnek köszönhetek. Végtére is a renomém az évek során nem nőtt és nem is csökkent, és eddig még egy csapat sem gyűlt össze ilyen gyorsan. Úgy éreztem, hogy ez a sebesség nem szólhat a sokéves tapasztalatomnak sem, mert igazság szerint már jó ideje régi motorosnak számítottam, és általánosságban úgy éreztem, a vonzerőmet elhomályosította a túlzott ismertség. Éppen ezért néztem meg az ajándék ló fogát. Ahogy már említettem, gyanús volt az egész.

Feltűnt azonban, hogy nem igazán ismerték egymást, ami megnyugtatóan hatott, és elmulasztotta az ellenem előre kitervelt összeesküvéstől való félelmeimet. Ráadásul az is egyértelmű volt, hogy kellőképpen odafigyelnek rám: nem éreztem csupán utasnak magam a saját hajómon. Mindezek ellenére maradt még bennem gyanakvás, ami lassította a folyamatot, és azt hiszem, egy kicsit meg is bántottam őket a kissé lagymatag fogadtatással. De jobb félni, mint megijedni, és úgy vélem, ezt az érzésemet még ők is megértették.

Tágas a nappalim – két helyiség volt korábban, mielőtt lebontottam a köztük lévő válaszfalat –, de még így is kissé szűknek bizonyult. Rágyújtottam. Azon a kanapén ültem, amelyről mindenre rálátok, ők pedig nagyjából félkörben helyezkedtek el velem szemben. Hárman vállt vállnak vetve szorongtak a szemközti szófán, amíg a többiek más szobákból áthozott bútordarabokon ücsörögtek, kivéve azt a két férfit, akikkel még sosem találkoztam korábban, és akik egymás mellett, közvetlenül a többiek mögött álltak. Mindkettő magas, erős testalkatú, sötét bőrű fickó volt, és mindketten részben nyugodt egykedvűséggel, részben rimánkodva néztek rám, mintha könyörögtek volna, hogy úgy csináljam, hogy ne öljék meg őket túl hamar. Lerítt róluk, hogy gyalogosok – pont erre volt szükségem –, de nem a szerencsétlen, nyomorult újonc fajtából. De hogy is lehettek volna újoncok? Önként jelentkeztek, mint mindenki más. És mind a kettő szép példány volt, pont annyira edzett és halálos, ahogy az nekem kell. Mindkettő kiváló minőségű és szabású felöltőt viselt, de ahol az izmokra feszült, ott kidörzsölődött és zsírosodott az anyag.

Volt két nő is közöttük. A konyhapult mellől hozták be a bárszékeket, azokon gubbasztottak, a kanapén ülő három férfi mögött jobbra, mintha csak a magasföldszinten foglaltak volna helyet. Elismerem, kicsit csalódott voltam, hogy csak ketten vannak. Két nő és nyolc férfi: a szakmánk aktuális alapelvei szerint ez az összetétel határesetnek számított, én pedig nem akartam olyan kritikának kitenni magam, ami már az elején elkerülhető. Persze nem nyilvános bírálatról van szó – a nyilvánosság általában egyáltalán nincs tisztában azzal, mit csinálunk –, hanem belsős kritikáról olyan profi döntéshozók részéről, akik befolyásolhatják a jövőbeni megbízásokat.

Az sem nyűgözött le túlságosan, hogy a nők félig-meddig a férfiak mögé pozicionálták magukat. Azt éreztem, hogy ez olyasféle alárendeltségre utal, amelyet én általában próbálok elkerülni. Ott helyben jó érzéssel töltött el rájuk nézni, de közben megerősítette azt az előérzetemet, hogy később kifogásokra adhatnak majd okot. Mindketten szoknyát viseltek, és bár egyik sem volt túlságosan rövid, a bárszékeken ülve jobban kivillant a lányok combja, mint érzésem szerint szándékukban állt volna. Mindkettőn sötét harisnya volt, amit – kész vagyok elismerni – imádok a formás lábakon, és egy pillanatra el is terelte a figyelmemet. Aztán meggyőztem magam – persze ezt a döntésemet még bármikor felülbírálhatom –, hogy komoly profikkal van dolgom, és minden bizonnyal annak is fogják őket nézni, így egyelőre elengedtem az aggályaimat, és továbbléptem.

A csoporttól jobbra ülő férfi az Eames karosszéket hozta be a hallból, de a hozzá tartozó lábtartót kint hagyta. Keresztbe tett lábbal dőlt hátra, és ahogy belesimult a háttámlába, nagyon elegáns benyomást keltett. Szürke öltönyt viselt. Az elejétől fogva azt gondoltam, hogy ő a kormánnyal összeköttetésben álló emberem, és be is bizonyosodott, hogy igazam van. Sok hozzá hasonlóval dolgoztam már, és éreztem, hogy vakon bízhatok a szokásaiban és a képességeiben egyaránt. Az ember persze így követ el hibákat, de biztos voltam benne, hogy aznap éjjel én nem hibázom. Az egyetlen jel, amely nyugtalanított kissé, hogy a szükségesnél úgy három centivel távolabb helyezte el a székét a többiektől. Mint ahogy már említettem, a nappalim nem kicsi, de nem is végtelenül tágas: azt a plusz három centit nem volt könnyű előteremteni. Ez láthatóan valamiféle szükségről vagy hozzáállásról árulkodott, és az elejétől fogva tudatában voltam annak, hogy erre oda kell figyelnem.

Az étkezőmet Eero Saarinen finn tervező Tulip székei díszítik. A két szék most a velem szemközti kanapét fogta közre, és két férfi foglalt rajtuk helyet. Az egyik feltételezésem szerint a szállítmányozási koordinátorom, a másik a kommunikációs szakértőm lehetett. Kezdetben kevés figyelmet fordítottam rájuk, mivel a székek elterelték a gondolataimat. Saarinen tervezte a Trans World Airlines központját a John F. Kennedy reptéren – vagyis az Idlewildon, ahogy akkoriban hívták –, és az épület megérdemelten vált ikonikussá, a korszak egyértelmű jelképévé. Azokat az időket idézte, amikor az az egyszerű szó, hogy jet, sokkal többet jelentett holmi sugárhajtóműnél. Egyszerre jelölte a repülőgépet, a nagyvilági utazót, a repülőutat, a lehetetlenül gyors és áramvonalas új Boeing 707-est, a csillogást, a tág horizontot, a kitáruló világot. Az én szakmámban mind tudjuk, hogy olyan legendákkal versenyzünk, akiknek a legjobb munkái – még ha nem is akkor valósultak meg, mégis – vitathatatlanul abban a megismételhetetlen korszakban gyökereztek. Időnként teljes mértékben alkalmatlannak tartom magam a feladatra. Azon a bizonyos estén is több percen keresztül olyan érzés kerített hatalmába, hogy a legjobb lenne mindenkit hazaküldeni, és feladni az egészet, még mielőtt belekezdenék egyáltalán.

Megnyugtatott, amikor emlékeztettem magam arra, hogy az új világ is tele van kihívásokkal, és a régi idők nagymenői talán visítva futnának el, ha olyan dolgokkal szembesülnének, amelyekkel nekünk kell megbirkózni most – mint például a férfi-nő arány és a közöttük lévő interakciók milyensége. Ekkor már tudtam a székek helyett a férfiakra figyelni, és nem találtam semmi aggodalomra okot adót. Őszintén szólva a szállítmányozás egyszerű meló – csak a költségvetésen múlik, és gyakorlatilag korlátlanul költekezhetek. A kommunikáció évről évre egyre összetettebbé válik, de általában egy lelkiismeretes mérnök is kezelni tudja a felmerülő problémákat. A népszerű mítosz szerint a számítógéphez csak azok a piercinges fiatalok értenek, akiknek a billentyűzete eltűnik a gördeszkák és kiürült pizzásdobozok kupaca alatt, de persze ez nonszensz. Mindig is komoly, megfontolt és elővigyázatos műszaki szakemberekkel dolgoztam együtt.

A szemközti kanapén tőlem balra ült az a személy, akit a beépített emberünknek gondoltam. Egyszerre voltam vele elégedett, ugyanakkor aggasztott is. Elégedettséggel töltött el, hogy nyilvánvalóan helyi születésű, szinte biztosan Teheránban vagy annak valamelyik közelebbi külvárosában látta meg a napvilágot. Ez vitán felül állt. A genetikai állománya abszolút megfelelő, biztos voltam benne, hogy teljes mértékben autentikus. A DNS-e mögött rejlő dolog aggasztott engem. Biztos voltam benne, hogy ha mélyebben kutakodnék, kiderülne, hogy valamikor fiatalon hagyta el Iránt, és Amerikába került. Ami általában biztosíték arra, hogy ő legyen a legjobb tégla: megkérdőjelezhetetlen az etnikai hovatartozása, ugyanakkor megkérdőjelezhetetlen a hűsége irántunk. Talán én érzékenyebben kezelem ezt a kérdést, mint más kollégáim, de ha valaki a meghatározó gyermekkori éveit Amerikában tölti, az fizikai és mentális lenyomatot hagy rajta. A vitaminokkal dúsított gabonapelyhek, a tej, a sajtburgerek mind megváltoztatják az embert. Ha például valamilyen bizarr körülmény okán ennek a fiatalembernek lenne egy anyaországban hátrahagyott ikertestvére, és most egymás mellé állítva összehasonlítanánk őket, a mi téglánk kétségtelenül legalább három centivel magasabb és három kilóval súlyosabb lenne, mint a testvére. Nem nagy ügy, legyinthetnél, és egyet is érthetnék veled – leszámítva, hogy a centi és a kiló milyensége igenis számít. Egy széles, magabiztos amerikai centi nagyon is fontos. Három amerikai kiló – persze a mellkason és a vállon, nem a pocakon – mérhetetlenül számít. Hogy van-e időm diétáztatni és kijavítani a hibás tartását, az később derül ki. Ha nem, véleményem szerint úgy indulunk neki az akciónak, hogy a művelet központi eleme nagyfokú bizonytalanság forrása. De hát mikor nem volt bizonytalanság ebben a szakmában?

A szemközti kanapé másik végén ült az árulónk. Talán egy kicsit idősebb volt már, túl a középkoron, borostás, enyhén testes és őszülő, gyűrött öltönye láthatóan külföldi darab. Az inge is tele volt ráncokkal. Nyakig begombolta, de nyakkendőt nem viselt hozzá. Mint általában az árulókat, őt is az ideológia, a pénz vagy zsarolás mozgatja. Reméltem, hogy a pénz lesz a nyerő. Az ideológia nekem mindig gyanús. Persze jó érzéssel tölt el a tudat, hogy egy ember mindenét kockára teszi azért, mert az én országomat jobbnak véli, mint a sajátját, de az efféle meggyőződés magában hordozza a fanatizmus mellékízét, és az természeténél fogva labilis, akár pillanatok alatt lecserélhetővé is válhat. A fanatikus elméjében uralkodó fehér hévben még egy tökéletesen triviális, akár csak odaképzelt megbántás is ostoba reakciót válthat ki. A zsarolás is a mibenlétéből fakadóan változékony: ami egyik nap még szégyellnivaló, másnap már nem feltétlenül az. Gondoljunk csak vissza azokra a nagyvilági időkre! A homoszexualitással és házasságtöréssel zsarolás mérhetetlen vagyonokat termelt. Vajon manapság kiváltana ez akár csak tizedakkora reakciót? Szerintem nem. De a pénz mindig működik. A pénz függőséget okoz. Aki részesedik benne, könnyen rákap az ízére, és nem tud kilépni. A mi árulónk belsős információi abszolút nélkülözhetetlenek lehetnek, ez egyértelmű, úgyhogy reméltem, hogy megvették, és ki is fizették, máskülönben újabb bizonytalanságot jelentene. Nem mintha nem lenne mindig bizonytalanság a legmélyén annak, amit csinálunk, de ami sok, az sok. Ilyen egyszerű ez.

A tégla és az áruló között ült a művelet vezetője, a sors is egyértelműen erre a szerepre szánta. Pontosan olyan volt, mint akit szerintem mindannyian akarnának erre a pozícióra. Személy szerint hiszek abban, hogy egy olyan grafikonon, amelyen a férfiak mentális és fizikai képességeinek növekedését és csökkenését ábrázolnánk, tisztán kirajzolódna egy egységes csúcs harmincöt éves kor körül. Korábban – már amikor volt választási lehetőségem – ennél semmiképpen sem fiatalabb és negyvennél nem idősebb férfiakkal dolgoztam. Becsléseim szerint a velem szemközt ülő férfi tisztán megfelelt ennek a korhatárnak. A testalkata is tökéletes volt, nem volt sem túl vékony, sem elhízott, és látszott, hogy ura az elméjének és a testének is, ahogyan láthatóan uralta a képességeit is. Valahogy úgy, mint a profi bajnokságban a kettes védő. Tudta, mit csinál, és egész álló nap képes lett volna megállás nélkül folytatni, ha szükség lett volna rá. Nem volt jóképű, de csúnya sem. Megérzésem szerint a sportpárhuzam itt is találó volt.

– Feltételezem, hogy ez az én bulim – szólalt meg.

– Tévedsz. Az enyém – feleltem.

Nem tudtam biztosan, hogyan is jellemezzem azt, ahogyan beszélt. Egy szerény ember, aki úgy tesz, mintha nem lenne szerény? Vagy egy arrogáns személy, aki egy magát nem szerénynek tettető szerény embert játszik? Ezt a kérdést egyértelműen tisztázni kell, úgyhogy nem mondtam többet, vártam a reakcióját.

A válasz először egy gesztus formájában érkezett. Jobb kezét a csuklójánál behajlította, majd a tenyerét felemelte, és a levegőbe csapott párszor. A mozdulat nyilvánvalóan az én megnyugtatásomra szolgált, de az ősi világban gyökerező jelzés behódolást is mutatott. Ezzel jelezte felém, hogy nincs nála fegyver.

– Persze – tette hozzá.

Leutánoztam a mozdulatát: behajlított csuklóval, nyitott tenyérrel belecsaptam néhányszor a levegőbe. Úgy éreztem, az ismétléssel kitágítom a jelentést. Azt szándékoztam jelezni, hogy rendben van, nincs harag, nincs hibapont, játsszuk újra ezt a menetet. Érdekes volt számomra, hogy öntudatlanul is megint sportmetaforákban gondolkodtam. De hát végtére is ez egy csapat.

Aztán megszólaltam:

– A terepen te vagy a vezér. Te vagy a szemem és a fülem. Muszáj, hiszen amit te nem tudsz, azt én nem tudhatom. De tisztázzuk: semmi önálló akció! Te vagy a szem és a fül, de az agy én vagyok.

Talán túlságosan védekezően hangzott, amit mondtam. Feleslegesen, hiszen szerénytelenség nélkül mondhatom – néha muszáj őszintének lenni –, meglehetősen jól ismer a szakma iránt érdeklődő szűk réteg a számos sikeres küldetésem okán. Épp a konokságomról voltam híres. Nem kérdés, hogy kompetens vezető vagyok. Kicsit jobban kellett volna bíznom magamban. De már késő volt, és én elfáradtam.

A kormánnyal összeköttetésben álló ember mentett meg.

– Meg kell beszélnünk, pontosan mit is fogunk csinálni – mondta.

Ettől egy pillanatra zavarba jöttem. Miért is hívtam össze a csapatot, mielőtt tisztázódott volna a küldetés célja? De igaza volt. A tényen túl, hogy ma mindannyian Iránba megyünk, semmilyen más részlet nem volt még tiszta.

– Biztosan nukleáris fegyverekről van szó – mondta az áruló.

– Még szép! Mi más van még ott, de tényleg? – szólalt meg az egyik nő.

Felfigyeltem az elbűvölő hangra. Meleg volt, és olyan bensőséges. Az agyam hátsó szegletében azon tűnődtem, tudnám-e használni a csábító nő szerepében. Vagy az csak még nagyobb bajba keverne a vezetőségnél?

A kommunikációs szakértő is megszólalt:

– Ott van még a regionális befolyás kérdése. Az nem fontos? Persze én ezt nem tudhatom.

– A regionális befolyásuk teljes mértékben a nukleáris fenyegetéseiken alapszik – reagált erre a kormány embere.

Hagytam őket beszélni egy ideig. Örültem, hogy hallgathatom és figyelhetem őket. Láttam, hogy hátul a két bokszoló kezdi már unni a dolgot. Kiült az arcukra, hogy nincsenek ezért kellően megfizetve. Az egyik hozzám fordult:

– Mehetünk? Tudja, hogy mire vagyunk alkalmasak. A részletekbe később is beavathat bennünket. Rendben?

Bólintottam. Nekem jó. Az egyik az előbbi arckifejezésével még visszapillantott az ajtóból, amellyel mintha azt üzente volna: „Intézd úgy, hogy ne nyírjanak ki bennünket túl hamar!"

A szegény szerencsétlen gyalogság! Magamban megígértem neki, hogy azon leszek. Tetszett nekem. A többiek még mindig a beszélgetés sűrűjében voltak. Csűrték-csavarták a szempontokat, újakat hoztak fel. Mivel az Eames szék ülése alacsonyan volt, a kormány emberének arca közvetlenül a jobb oldali nő lábánál volt. Irigyeltem a pasast. De őt nem nyűgözte le a helyzet. Jobban lefoglalta, hogy a saját aggályai kis lyukú szűrőjén áteressze a hallottakat. Egyszer csak felpillantott, és egyenesen nekem szegezte a kérdést:

– Mondja, pontosan mennyi gondot szeretne a külügyminisztériummal?

A kérdés nem volt annyira buta, mint amilyennek hangzott. Örök igazság, hogy kevés eredmény érhető el anélkül, hogy a külügyet fel ne idegesítsük valamilyen szinten. Éppen ezért dolgoztunk összekötő emberekkel: ők kellő ideig nyugtatták a kedélyeket odabent ahhoz, hogy mi be tudjuk fejezni a műveletet, bármi legyen is az éppen. Úgy véltem, a kérdése egyben felajánlás is: ő majd megtesz mindent, amit kell. Azt gondoltam, hogy ez egyszerre nagylelkű és bátor is.

– Figyeljen mindenki! Természetesen megpróbálom az egészet olyan simán és problémamentesen megoldani, amennyire csak lehet. De mind felnőttek vagyunk. Tudjuk, hogy megy ez. Ha kell valami plusz, majd szólok.

Erre a szállítmányozási koordinátor előállt egy ide illő, de gyakorlatiasabb kérdéssel:

– Mennyi időre is kötelezzük el magunkat?

– Nyolcvan napra – feleltem. – Legfeljebb kilencvenre. De tudják, hogy van ez. Nem lesz mindennap jelenésünk. Azt kérem, hogy hat hónappal számoljanak mindannyian. Szerintem ez a reális.

Erre a kijelentésre elhalkultak kicsit, de a végén mindannyian bólintottak és beleegyeztek, amiről szintén azt gondoltam, hogy bátor dolog. Csak hogy ismét egy sportmetaforával éljek, ismerték a játékszabályokat. Egy hat hónapig tartó művelet a tengeren túlon, ellenséges területen, mindenképpen veszteséggel jár. Én tudtam, és ők is. Néhányan nem fognak hazatérni, de egyikük sem hátrált meg.

Még egyórányi beszélgetés következett, aztán ismét egy óra. Úgy véltem, meg kell őket ismernem, amennyire csak lehet. Már jócskán reggel volt, amikor elmentek. Ahogy kiléptek az ajtón, azonnal hívtam a szerkesztőmet. Megkérdezte, hogy vagyok, ami egy szerkesztő esetében igazából azt jelenti: „Mid van a számomra?"

Mondtam neki, hogy valami igen jóval lépek újra színre, és egy hat hónapos határidő elég lesz rá. Megkérdezte, miről van szó, én pedig elmondtam neki, hogy akkor ugrott be az ötlet, amikor be voltam állva. Azon a hangomon beszéltem vele, amelyen mindig is szoktam. Ettől elbizonytalanodott, vajon csak szórakozom-e vele, vagy sem. Úgyhogy megint megkérdezte. Mondtam neki, hogy a karakterek már megvannak, és hogy a cselekmény majd szép sorjában bontakozik ki. Irán a téma alapvetően. Csak neki szánva a poént, olyan nyelvezettel fogalmaztam meg az egészet, mint ahogyan a gazdasági hírekben szokás. Azt mondtam, nem feszegeti a stílus határait, viszont tökéletesen képviseli majd a műfaját.

Az édesség rabjai

A magát Szókratésznak nevező fickó odaszólt a láncra vert férfinak:

– A fehér por mindig is jól hozott a konyhára.

A láncok igazából átlagos bilincsek voltak, négy pár, külön-külön a pasas csuklójára és bokájára erősítve. A másik végüket a padlóba fúrt vaskarikához rögzítették, emiatt a fickó úgy guggolt ott a pocsolya fölött, mint egy fakír, félig a fenekén, félig a talpán, a térde felfelé meredt, a karjai a két térde között csüngtek. A fejét feltartotta, nedves haja rásimult a koponyájára. Láthatóan próbálta életben tartani a beszélgetést.

– Mindig? – kérdezte.

– Na jó, nem mindig – felelte Szókratész. – Talán a kőkorszakban nem. Vagy a bronzkorban, esetleg a vaskorban. Ami a középkort illeti, abban nem vagyok biztos. De az utóbbi háromszáz évben tuti.

– Cukor – mondta a láncra vert férfi.

– Igen. – Szókratész elégedett volt a következtetéssel. Brazíliából származott, de etnikailag mindenféle vér keveredett benne. Maja, azték, karibi, némi spanyol, egy kis portugál, és az Antiguán élő rabszolgák révén nyugat-afrikai vérvonal is. – A karibi országokban cukornád nőtt minden szabad négyzetméteren – folytatta. – Az európaiaknak kielégíthetetlen volt az igénye. Hatalmas vagyonokat raktak össze belőle. Viszont kemény munkát jelentett azoknak, akik a földeken dolgoztak.

– Rabszolgaság – vágta rá a láncra vert férfi.

– Pontosan – mondta Szókratész. – Kapálás, ültetés, gyomlálás és betakarítás: mind rettentő kimerítő. A főzéshez és kristályosításhoz már szakértelem kellett, de azt is rabszolgákkal végeztették.

A láncra vert férfi fehér volt és amerikai, úgyhogy csak ennyit mondott:

– Sajnálom.

– Nem a te hibád – felelte Szókratész. – A karibi térségben a földbirtokosok britek voltak.

A két férfi egy nappaliban beszélgetett, egy olyan külvárosi ház alsó szintjén, amely alig egy órája volt csak lakatlan. A lakókat elküldték egy hosszú sétára, és Szókratész felügyelte, ahogy az emberei belecsavarozták a vashurkot a padlóba. Aztán azok is elmentek egy hosszú sétára, de előtte még becipeltek egy húszliteres kannát tele benzinnel. Abban ázott a láncra vert férfi. A benzin tapasztotta oda a haját a koponyájához, és a pocsolya, amelyben ült, szintén benzin volt. Még csak alig négy liter a húszból, de okos ember kevésből is ért.

– Az ültetvényeken a földbirtokosnak minden holdra jutott egy rabszolgája, emellett ott volt az aratás utáni munkákra a képzett munkaerő, plusz a háztartásvezetők. Így aztán a rabszolgák jócskán fölényben voltak, bizonyos esetekben akár hússzal többen is, és az urak nagyon rosszul bántak az embereikkel, kemény munkát végeztettek velük a tűző napon, és bántalmazták őket a házaikban. Főleg a nőket. A csinos lányokon élték ki magukat, a csúnyákat pedig könyörtelenül dolgoztatták.

– Felkelések – mondta a láncra vert férfi.

– Így van – felelte Szókratész. – Állandó félelemben éltek. Nem alaptalanul, teszem hozzá. Megérdemelték. Folyamatosan azt lesték, ki szervezkedik ellenük. Ez mellesleg ritkán fordult elő, de azért volt rá példa.

A láncra vert férfi nem szólalt meg. Szókratész az óramutató járásával megegyező irányban lassú köröket írt le a benzinpocsolya körül, élvezettel szónokolt, ahogy ókori névrokona is tehette – ő így képzelte – az ókori Athén agóráin.

– Mit gondolsz, mit csináltak, amikor felfedtek egy-egy ilyen, ellenük irányuló tervet? – folytatta.

– Példát statuáltak – mondta a láncra vert férfi.

– Pontosan – mondta Szókratész. – Példát statuáltak a főkolomposokkal. Két kedvenc módszerük volt. Tudod, melyek voltak ezek?

– Nem.

– Az első a kerékbetörés. Tudod, mi volt az?

A láncra vert férfi természetesen tudta, mi az, de értelemszerűen azt akarta, hogy folytatódjon a beszélgetés, ezért azt felelte:

– Nem.

– Az illetőt állva egy nagy kocsikerékhez kötözték a csuklójánál és a bokájánál fogva – ment bele a részletekbe Szókratész. – Aztán egy társával eltörették az összes csontját, egy nehéz vasrúddal lassan, egyesével. Valószínűleg az egyik karjával kezdték, aztán az ellenkező oldali lábával folytatták, és így tovább. Az áldozat, miután már semmijét sem támasztotta csont, egy zacskó zseléhez hasonlóan csak lógott a keréken. Szörnyűséges fájdalmai lehettek.

– Igen – mondta a láncra vert férfi.

– A másik módszer az élve elégetés volt. Kikötözték őket egy karóhoz, és máglyát raktak köréjük.

A láncra vert férfi nem szólt semmit.

– A példa ereje nagyon hatásos – mondta Szókratész. – Akadt ugyan gond, de meglepően ritkán ahhoz képest, hogy az emberek túlnyomó többsége ilyen hosszú ideig szenvedett a borzalmas elnyomástól.

– Szörnyű – mondta a láncra vert férfi.

Szókratész elmosolyodott.

– De védeni kellett az óriási profitot. Ahogyan most is. Fehér por és kielégíthetetlen igény. Felbecsülhetetlen gazdagság, olyan, amilyet eddig soha senki nem látott. Égesselek el élve?

– Ne! – mondta a láncra vert férfi.

– De megloptál engem.

– Nem.

– Félmillió dollár hiányzik.

– Hiba történt.

– Hanyag könyvelés?

– Igen.

– A cukor kristályosítása művészet volt. A nádat a malmokban összetörték, leszűrték a levét, és felforralták, a melaszt lefölözték, az így megmaradt tiszta folyadékot pedig megszárították a napon, majd lime-ot adtak hozzá, és por lett belőle. Már ha mindent jól csináltak. Ha nem, akkor a pénz elveszett, a hibázó munkást pedig nagyon durván megverték, gyakran meg is korbácsolták annak ellenére, hogy képzett munkaerő volt. Az sem számított, hogy a folyamat nagyon bonyolult volt, és a hiba, amit elkövetett, véletlen is lehetett. Néha levágták egy végtagját, általában az egyik lábát. Olykor kasztrálták.

A láncra vert férfi nem mondott semmit.

– Az egész a példa erejéről szólt – mondta Szókratész.

A láncra vert férfi áthelyezte a súlypontját, és azt mondta:

– Zsebpénz.

– Kié? – kérdezte Szókratész érdeklődve. – Az ültetvényeseké vagy az enyém?

– Mindkettő.

– Ez igaz – mondta Szókratész. – Egy hordó cukor nem jelentett túl sokat. Töredék volt, valóban. Szinte láthatatlan, ahogyan nekem egy zsák pénz.

– Erről van szó.

– De egy nagybirtokosnak több száz rabszolgája volt. Tegyük fel, hogy mindegyik lecsíp magának csak egy pici töredéket! Egy hordócska itt, egy hordócska ott, gyomlálatlan területek, túl későn ültetett növények, amelyek nem jutnak így elég esőhöz. És aztán mi lesz?

A láncra vert férfi nem válaszolt.

– Nekem több száznál is több munkatársam van – mondta Szókratész. – Végeredményben ezrekről beszélünk. Tegyük fel, hogy mindegyik elkövet ilyen aprócska hibákat!

– Nem tehetek róla. Mindent megtettem.

– Biztos vagyok benne, hogy ez így is van. De mi lenne, ha mindannyian ilyen hanyagok lennétek?

– Kis összeg volt.

– Mint egy hordó cukor.

– Pontosan. És őszintén, tényleg csak hiba volt.

– Szóval azt akarod, hogy nézzem el neked.

– Kérlek!

– Na de akkor mi lesz a példa erejével?

– Ez csak egy hiba volt. Tényleg.

Szókratész átsétált a szoba sarkába, és felvette a benzines kannát. A kanna piros fémből készült, és szögletes volt a kiöntője. A benne lévő folyadék ide-oda lötyögött, benzingőzt eregetett, és apró hullámokban, vékony, éles hanggal verődött a kanna falának. Szókratész visszalépett a láncra vert férfihoz, az edényt magasra emelte és megdöntötte, mint egy teáskannát, és vékony sugárban a férfi fejére folyatott a benzinből. A férfi elmozdult, így a kulcscsontja feletti gödrök, a nyaka és a háta is kapott a záporból. Egy pillanatra elállt a lélegzete, vagy a benzin hidegségétől, vagy a félelemtől, vagy mindkettőtől. Szókratész bő fél percig csorgatta rá a folyadékot, újabb pár literrel lett kevesebb a kannában. Aztán visszavitte a tartályt a szoba sarkába, és ismét körözni kezdett.

– Az én pénzem volt, nem a tiéd – mondta.

– Bocsánatot kérek – felelte a láncra vert férfi.

– Miért?

– Mert hibáztam.

– Szerinted egy bocsánatkérés elegendő?

– Igen.

– Győzz meg!

A láncra vert férfi nagy levegőt vett annak teljes tudatában, hogy mostantól minden szó számít.

– Minden folyamatban vannak lemorzsolódó szélek. A cukor esetében valamennyi biztosan kilötyög, ugye. Valamennyi folyadék biztosan elszivárog. Ez elkerülhetetlen. Nem lehet folyton a tökéletességre törekedni, mert az az őrületbe kerget.

– Most a szellemi jóllétem miatt aggódsz?

– Én csak mondom. Mindig is lesznek veszteségek. És hibák. Nem aggódhatsz minden ilyesmi miatt.

– Nem is szoktam – válaszolta Szókratész. – Nem mindig. Mert igazad van. A százszázalékos tökéletességet lehetetlen elérni. Éppen ezért reális célokat tűzök ki.

– Akkor rendben is vagyunk.

– Nem – felelte Szókratész. – Nem vagyunk rendben. Mert te túllőttél a célon. Háromszáz lepedő, talán négy, az a kereteken belül van még. De te ötöt vettél el! Az már túl van a határon.

– De neked milliárdjaid vannak. Te nagyon gazdag ember vagy.

– Valójában én hihetetlenül gazdag ember vagyok.

– Tehát egy félmilliós hiba olyan, mintha egy penny becsúszott volna a kanapé párnái közé.

Szókratész egy doboz cigarettát vett elő a zsebéből, kihúzott egy szálat, és az ajkai közé fogta. Az öngyújtó ott volt a kezében. Műanyag Bic, henger alakú, az eldobható fajtából, semmi különös. De nem gyújtotta meg. Csak játszott vele, gyorsan pörgette az ujjai között, mint egy apró karmesteri pálcát.

– Általában úgy gondoljuk, hogy a cukor kis mennyiségben élettanilag fontos az emberi szervezet számára, de mivel a természetben erre a kis mennyiségre végtelenül nehéz rábukkanni, ezért a cukor iránti vágy ehhez mérten hatalmas és állandó kell, hogy legyen. Legalábbis a régi időkben a brit ültetvényesek erre jöttek rá. Minden cukrot eladtak, amennyit csak termelni tudtak. De a kereslet nem csökkent még akkor sem, amikor az embereknek már elegendő állt a rendelkezésükre. Az édesség rabjaivá váltak.

A láncra vert férfi mosolygott, úgy tett, mintha csak barátilag beszélgetnének.

– Annak is a rabjai, amit mi árulunk – mondta.

– Nem – felelte Szókratész. – Annak a rabjai, amit én árulok. Nincs többé „mi". Még egy óra, és te már emlék sem leszel.

A láncra vert férfi nem válaszolt.

– Az én elméletem az – folytatta Szókratész –, hogy ezek az ősi táplálkozási ösztönök valószínűleg a függőségre állították be az agyunkat. Egymillió éven át rákényszerültünk arra, hogy mindent tűvé tegyünk érte, és most nem bírunk leállni. Nem lehet csak egy gombnyomással semmissé tenni azt, amit az evolúció hosszú idő alatt kialakított.

– De ez jó nekünk. Mármint az üzletnek, úgy értem.

– Általában – mondta Szókratész. – De személy szerint neked rossz. Mert az embert a gazdagság is függővé teszi. Úgy értem, itt vagyok én példaképpen. Nagyon keményen kellett dolgoznom a múltban. Ez az én saját evolúcióm. Nem tudok most csak egy gombnyomásra megváltozni.

– De te gazdag vagy. Mindig gazdag leszel.

– Tehát most álljak le? Ezt akarod mondani? Van olyan ember, aki nem vesz több kekszet, mert aznap már elég cukrot evett? Nem, addig nyúl újra és újra a zacskóba, amíg az utolsó darab el nem tűnik.

– Kis összeg volt.

– Az én kis összegem.

– De neked van elég.

– Nekem több kell. Mert valamit kifelejtesz a számításból. Gazdagnak lenni csak akkor jelent valamit, ha mások szegények.

– Arra van szükséged, hogy én szegény legyek?

– Szeretek másokhoz viszonyítani. Jobban érzem magam tőle.

– Azt hittem, ez a példa erejéről szól.

– Nos, arról is.

És ezen a ponton a láncra vert férfi feladta, és csak várt. Szókratész megérezte, hogy behódolt. A szórakozásnak vége. Hátralépett a szoba sarkába, és felkapta a benzines kannát. Öntött még belőle a pasas fejére, miközben az levegőért kapkodott, küzdött és sírt. Aztán húzott egy benzincsíkot egészen az ajtóig. Teljesen felfordította a kannát, hogy az utolsó cseppet is kikergesse belőle. Végül letette a földre, átment az előtéren, és kinyitotta a bejárati ajtót. Az emberei már visszatértek a sétából. A kocsikban vártak rá.

Enyhe szellő fújt odakint, épp elég ahhoz, hogy odabent huzatot csináljon, felkavarja a benzingőzt a levegőben, és szétterítse a szagot. A szél a ház homlokzatával párhuzamosan fújt, így mint egy Venturi-csőből, kiszívta a házból a levegőt. Mint ahogy a festékpisztoly felszívja a festéket a tartályból. Szókratész sejtette, hogy így az egész ház le fog égni, de nem érdekelte. Nem az övé volt.

Kattintott egyet az öngyújtón.

Nem működött.

A kis fogaskerék szabadon pörgött, aztán beakadt. Már korábban eltörhetett benne a kovakő, és a letört darab miatt a mechanika besült. Szókratész eldobta a gyújtót, és elővette a pisztolyát. Úgy harminc centivel maga elé, a földre célzott, egyenesen a nedves csíkra a padlón. Úgy sejtette, a torkolattűz majd elvégzi a feladatot, vagy ha az nem, akkor a golyó hője is megteszi.

A szellő felélénkült, a benzingőz felkavarodott. Szókratész meghúzta a ravaszt, és mintha maga a levegő kapott volna lángra körülötte. Kék lángnyelvek táncoltak, hullámoztak, először a semmiben, majd a ruháján, a hajában, a bőrén. A férfi lassan felállt, megfordult, körbetoporgott a lángnyelvek gyűrűjében, értelmetlen kört írva le, mintha egy lángoló borítékba lett volna zárva. A szellő tovább táplálta a lángokat, és még több gőzt szippantott ki a házból, amitől a tűz csak tovább nőtt. Szókratész kitámolygott az ajtón, tett két lépést az autója felé, aztán arccal előre eldőlt, mint egy zsák, és a szél becsapta mögötte az ajtót.

A láncra vert férfi hallotta az ordítást, aztán ahogy az autók elhajtanak, majd semmi. Csend volt, amíg egy órával később a házban lakók vissza nem értek. Nem hívták a zsarukat. Senki nem tartotta ezt jó ötletnek. Helyette a láncra vert férfi barátait értesítették, akik közül négy meg is érkezett egy óra múlva. Láncvágókat hoztak magukkal. Majd mind az öt férfi távozott. Átléptek a felhajtón lévő, megfeketedett halmon.

A fafejűek ligája

Egyszer az életben az FBI azt tette, amit kellett: Anglia megszállottját küldte Angliába. Pontosabban Londonba, egy hároméves kiküldetésre, a Grosvenor Street-i nagykövetségre. Nagyfokú élvezet, könnyed feladat. A legtöbb ügynök a vízumot kérelmezők és a leendő bevándorlók esetében végez háttérellenőrzést, és közben a fülét hegyezi minden nemzetközi ügyet illető információra, én viszont a londoni rendőr-főkapitánysággal tartottam a kapcsolatot amerikai állampolgárokat érintő helyi bűntények ügyében, akár áldozat, akár szemtanú, akár elkövető volt az érintett amerikai.

Minden percéért rajongtam. Tudtam, hogy így lesz. Imádom ezt a fajta munkát, Londont, az angol életstílust, a színházat, a kultúrát, a pubokat, az embereket, az épületeket, a Temzét, a ködöt, az esőt. Még a focit is imádom. Tudtam, hogy minden jó lesz, és minden jó is volt.

Egy darabig.

Egy februári nyirkos szerda reggelen bevándorlók papírjainak pecsételésében segédkeztem éppen – máskor is szoktam így kisegíteni –, amikor egy őrmester hívása a Scotland Yardról kimentett. A főnöke nevében megkért, hogy menjek el egy bűntény helyszínére a Wigmore Streettől északra és a Regent's Parktól délre. Valahová a Baker Street 200. környékére, pontosított, és ez elég is volt ahhoz, hogy apró remegés fusson át az én anglofil szívemen, hiszen minden, Angliáért rajongó ember tudja, hogy Sherlock Holmes képzeletbeli címe a Baker Street 221/B. Komoly esély volt rá, hogy pont a nagy detektív kitalált ablaka alatt fogok dolgozni.

És valóban ott voltam az ablak alatt, és még sok más ablak alatt is egyszerre, mert a londoni rendőrség bűnügyi helyszínei mindig fantasztikusan kidolgozottak. Nálunk a tévés helyszínelők mindent megoldanak DNS alapján negyvenhárom perc alatt. A londoni helyszínelők negyvenhárom percet töltenek azzal, hogy lezárják az utakat és elterelik a gyalogosforgalmat, aztán negyvenhárom perc alatt belerázzák magukat az overallba, a csizmavédőbe és csuklyába, aztán negyvenhárom percen keresztül LEZÁRÁS feliratú szalagokat feszítenek ki lámpaoszlopok és kerítésrácsok közé, majd negyvenhárom percükbe telik felállítani minden, érdeklődésre számot tartó dolog fölé a fehér sátrakat és lepleket. Így mire odaértem, már egy vándorcirkusz egészen elfogadható másolata fogadott a helyszínen.

Természetesen utamat állta a többrétegnyi kordon, amelyeken úgy jutottam át, hogy felmutattam az igazságügyi igazolványomat, és bemondtam a felügyelő, Bradley Rose nevét. Magát a felügyelőt a legnagyobb fehér sátortól pár méterre délre, az esőtől nedves járdán ácsorogva találtam meg. Alacsony volt, mégis tekintélyt parancsoló, elegáns szemüveget viselt, nem kötött nyakkendőt, a feje le volt borotválva. Régimódi londoni hekus: halk szavú, ugyanakkor nem tűri a mellébeszélést, amellyel a saját részlege elkeserítően sokszor rabolja az idejét.

Hüvelykujjával a sátor felé bökött.

– Egy halott – mondta.

Bólintottam. Természetesen nem voltam meglepve. Még a londoniak sem állítanak sátrat és húznak védőruhát egy zsebelés miatt.

Megint a levegőbe bökött a hüvelykujjával.

– Amerikai – tette hozzá.

Ismét bólintottam. Tudtam, hogy Rose képes fogazatból, ruházatból, cipőből, hajviseletből vagy akár testalkatból is leszűrni ezt az információt, de ugyanígy azt is tudtam, hogy nem vont volna be hivatalosan, ha nem lenne erre egyértelműbben utaló jel. És mint aki a még fel sem tett kérdésre máris válaszol, előhúzott két bizonyítékos tasakot a zsebéből. Az egyikben egy nyitott, kék színű amerikai útlevél lapult, a másikban pedig egy fehér névjegykártya. Mindkét zacskót átnyújtotta nekem, aztán ismét bökött egyet.

– A zsebéből – közölte.

Annyi eszem nekem is van, hogy nem nyúlok közvetlenül a bizonyítékokhoz. Egyik irányból a másikba forgattam a tasakokat, hogy a műanyagon keresztül megvizsgáljam mindkét darabot. Az útlevélképen egy mogorva, sápadt alak volt látható, megereszkedett szemhéja alól egyszerre határozatlan és kihívó tekintettel nézett az emberre. Felpillantottam.

– Valószínűleg ő az – mondta Rose. – A fizimiskája nagyjából klappol a fotón.

Rose cockney kiejtéssel beszélt, én pedig élvezettel figyeltem a londoniakra jellemző szóhasználatát.

– Mi végzett vele? – kérdeztem.

– Szúrás a bordák alatt – felelte.

Az útlevélen az Ezekiah Hopkins név szerepelt.

– Hallott már ilyen nevet korábban? – kérdezte Rose.

– Hopkins? – kérdeztem vissza.

– Nem, Ezekiah.

A fejem feletti ablakokra pillantottam.

– Igen, már hallottam.

Születési helyként az amerikai Pennsylvania volt megjelölve.

Visszaadtam a tasakba zárt útlevelet Rose-nak, és megvizsgáltam a névjegykártyát. Persze tapintás nélkül lehetetlen volt biztosan megállapítani, de ránézésre olcsó darabnak tűnt. Vékony papír, semmi bordázat, egyszerű betűtípus, semmi dombornyomás. Az a fajta, amelyet bárki megrendelhet online, néhány fontért ezer darabot is akár. A felirat szerint a kártya tulajdonosa a Hopkins, Ross & Spaulding nevű cégnél dolgozik. Arra nem volt utalás, miféle üzletben érdekelt. Szerepelt viszont egy telefonszám a kártyán, 610-es körzetszámmal. Kelet-Pennsylvania, de nem Philadelphia. A kártyán olvasható cím csak úgy, minden nélkül a pennsylvaniai Lebanon, amely Harrisburgtől keletre található, ha jól emlékszem. Stimmel hozzá a 610-es körzetszám. Sosem jártam arra.

– Felhívta a számot? – kérdeztem Rose-t.

– Ez a maga dolga – felelte.

– Senki nem fogja felvenni – mondtam. – Fogadjunk egy tízesben, hogy hamis!

Rose átható pillantással meredt rám egy hosszú pillanatig, aztán elővette a telefonját.

– Ajánlom neki, hogy hamis legyen – mondta. – Nincs keretem nemzetközi hívásra. Ha valaki felveszi Amerikában, rámegy a gatyám is. – Bepötyögte a 001-et, aztán a 610-et és még a következő hét számot. Két méterről is hallottam, ahogy a géphang diadalittasan bejelenti: *ezen a számon előfizető nem kapcsolható.* Rose kinyomta, és megint úgy nézett rám.

– Honnan tudta? – kérdezte.

– *Omne ignotum pro magnifico est* – feleltem.

– Ez mi?

– Latin.

– De mit jelent?

– Minden megmagyarázatlan dolog varázslatosnak tűnik. Vagyis egy jó bűvész sosem fedi fel a titkait.

– Akkor maga most már bűvész?

– Különleges FBI-ügynök vagyok – feleltem, és újra felnéztem az ablakokra.

Rose követte a pillantásomat.

– Igen, tudom. Itt lakott Sherlock Holmes – mondta.

– Nem, nem lakott itt – vágtam rá. – Nem létezett. Csak kitalálták. Ahogy a könyvben szereplő épületeket is. Sir Arthur Conan Doyle idejében a Baker Street csak a nyolcvanas számig tartott. Vagy talán százig. A többi része egyszerű országút volt. Marylebone akkoriban különálló faluként úgy másfél kilométerre innen kezdődött.

– Én Brixtonban születtem – mondta Rose. – Erről nem tudhattam semmit.

– Conan Doyle találta ki a 221-es számot – folytattam. – Ahogyan a filmekben és a tévében is nem létező telefonszámokat használnak. És nem létező rendszámokat az autókon, hogy ne okozzanak gondot valódi embereknek.

– Hová akar kilyukadni?

– Nem vagyok benne biztos – kezdtem –, de ide kell majd adnia nekem az útlevelet. Persze csak ha végzett vele. Valószínűleg az is hamis.

– Mi folyik itt?

– Hol lakik? – kérdeztem.

– Hammersmithben – felelte.

– Van Hammersmithben könyvtár?

– Felteszem, igen.

– Menjen el, és vegyen ki egy könyvet! Az a címe, hogy *Sherlock Holmes kalandjai*. A második sztori lesz az. *A Rőt Liga*. Olvassa el ma este, és holnap reggel majd beugrom önhöz!

Belépni a Scotland Yardra mindig öröm. Egy szelet történelem és egy szelet jövő is egyben. Manapság a Scotland Yard igazán modern hely, tele új technológiával és új technológiát használó emberekkel.

Rose-t az irodájában találtam, amelyet valójában csak néhány bútordarab védett és választott el az egybenyitott tértől. Olyan volt, mint egy bunker.

– Megvan a kötet, de még nem olvastam el – mondta. – Most terveztem belelapozni.

Rámutatott egy vaskos, puha kötésű könyvre az asztalán. Hogy időt adjak neki, visszamentem a követségre Ezekiah Hopkins útlevelével, és bevizsgáltattam. Hamis volt, de nagyon jóféle, leszámítva néhány bakit, amelyek viszont annyira nyilvánvalóra sikerültek, hogy kétségtelenül szándékosan hagyták benne őket. Gúnyolódásképpen vagy provokáció gyanánt. Amikor visszatértem a Scotland Yardra, Rose közölte:

– Elolvastam a történetet.

– És?

– Benne volt az összes név. Ezekiah Hopkins, Ross és Spaulding. És Lebanon meg Pennsylvania is. Sherlock Holmes pedig ugyanazt a latin mondatot mondja benne, mint maga. Láthatóan művelt ember volt.

– És miről szólt a történet?

– Egy csapdáról – mondta Rose. – Kieszeltek egy cselt, amellyel egy bizonyos Mr. Wilsont rendszeresen elcsaltak egy meghatározott időre a hivatalos munkahelyéről, hogy a távollétében befejezhessenek egy titkos és illegális feladatot.

– Nagyon jó – helyeseltem. – És mit mond nekünk a sztori?

– Semmit – mondta Rose. – Egyáltalán semmit. Engem senki nem csalt el a hivatalos munkahelyemről. Ott helyben volt az én hivatalos munkahelyem: oda megyek, ahol a halottak vannak.

– És?

– És ha mégis megpróbálnának engem elcsalni onnan, nem hagynának előzetesen erre utaló nyomokat, nem igaz? Nem írnák ki nagybetűkkel nekem előre. Mármint mi értelme lenne annak?

– Lehet értelme – mondtam.

– Miféle?

– Ha ez az ember csak egy átlagos külföldi lenne, akit halálra késelnek a Baker Streeten, mit tenne maga ezek után?

– Őszintén szólva nem sokat.

– Pontosan. Talán csak egy-két lépést haladna előre. És mit tesz most, mindezek után?

– Kinyomozom, hogy ki szórakozik velem. Első lépésként visszamegyek a helyszínre, hogy megbizonyosodjam róla, nem kerülte-e el egyetlen más nyom sem a figyelmünket.

– *Quod erat demonstrandum* – mondtam.

– Ez mi?

– Latin.

– Mit jelent?

– Kicsalogatják innen. Sikerül nekik elérni, amit akartak.

– Kicsalogatni honnan? Semmi fontosat nem csinálok az irodámban.

Rose ragaszkodott hozzá, hogy menjünk vissza. Elindultunk

a Baker Streetre. A sátrak még ott álltak, a szalag még mindig ott libegett. Nem találtunk több nyomot, úgyhogy inkább az összefüggéseket tanulmányoztuk. Olyan súlyos bűncselekményeket kerestünk, amelyek természetükből adódóan azért történhetnek meg, mert valami elvonja a rendőrség figyelmét. Nem találtunk semmit. A Baker Streetnek ezen a részén volt a hivatalos Sherlock Holmes Múzeum, a panoptikum, egy halom jelentéktelen üzlet és néhány bank. De a bankok egyébként is a tönkremenetel szélén álltak. Ha valaki felrobbantotta volna őket, komoly szívességet tett volna vele.

Aztán Rose olyan könyvet akart, amely nagyobb részletességgel magyarázza el a Sherlock Holmes-utalásokat, úgyhogy elvittem a bloomsburyi Brit Könyvtárba. Egy teljes órát töltött egy jegyzetekkel ellátott kivonattal. A Conan Doyle által elkövetett földrajzi hibák félrevitték. Kezdte azt hinni, hogy a történetet, amelyet olvasott, átvitt értelemben kell érteni, mintha valamiféle kódnyelven írták volna.

Összességében a hét hátralévő részében – szerdán, csütörtökön és pénteken – megközelítőleg harminc órában ezzel foglalkoztunk. Nem jutottunk sehová. Semmit sem haladtunk. És nem is történt semmi egyéb. Rose egyetlen másik ügye sem tisztázódott, és a londoni bűntények száma sem ugrott meg. Nem voltak következmények. Egyáltalán semmi.

Ezért ahogy teltek a hetek, Rose és én is megfeledkeztünk a dologról. És Rose soha nem is gondolt rá újra, legalábbis amennyire én tudom. Én persze igen. Mert három hónappal később egyértelművé vált, hogy én voltam az, akit csapdába csaltak. Kiszúrták, hogy hosszú órákon át adózom az anglomán szenvedélyemnek. Természetesen tudták, hogy ez fog történni. Jól kitervelték. Tudták, hogy én megyek majd ki a halott amerikaihoz, és tudták, hogyan rendezzék úgy a dolgokat, hogy engem teljesen felspannoljanak. Három nap, harminc óra távol a követségtől. Nem tudtam besegíteni a pecsételésben. Nem voltam ott, hogy észrevegyem, miből fogják ők a gyerekeik főiskolai tanulmányait kifizetni. Nem voltam ott, hogy lássam, lepecsételnek olyan vízumkérelmeket is, amelyeket azonnal vissza kellene utasítani. És ezért tudott négy konkrét személy bejutni az Amerikai Egyesült Államokba, és ezért halt meg háromszáz ember Denverben, és ezért – képtelen lévén utólag bizonyítani a naiv ártatlanságomat – ülök egyedül a kansasi Leavenworthben, ahol véletlenül éppen a *Sherlock Holmes kalandjai* a börtön által engedélyezett kevés könyvek egyike.

Hallottam egy romantikus történetet

Hallottam egy romantikus történetet, miközben arra vártam, hogy megöljek valakit. És nem is akárkit, mellesleg. Ezt a pasast hercegnek szólították, és azt hiszem, az is volt. Rengeteg hozzá hasonló fickó van itt, aki herceg. Nem csak országonként egy vagy kettő. A családoknak vannak saját hercegeik. Mindenféle családnak. Sok száz van belőlük. Annyi a herceg, hogy akadnak köztük huszonöt éves seggfejek is. Efféle fiatal tuskó ez a célpont is. Úgy volt, hogy egy nagy Mercedes szedánnal érkezik majd, kiszáll a hátsó ülésről, és nagyjából tíz lépést sétál a ház bejáratáig. A bejáratot úgy képzeld el, mintha egy Mariott Hotelé lenne, ahol kiszállsz a reptéri transzferből, csak kisebb! Ez itt nem elég nagy egy autónak sem. Gondolom, arra szolgál, hogy árnyékot nyújtson az embereknek vagy az állatoknak. Mivel mellesleg Indiában voltunk éppen. Dél volt, perzselt a nap, és olyan fényárban úszott minden, hogy még körbenézni is fájt. Ez a pasas majd odasétál ehhez a bejárathoz, amelyet részben fal takar, és amint biztosan érzem, hogy a járása beállt egy egyenletes ritmusra, már csak jól kell időzítenem. Először megnyomom a gombot, és ő csak utána ér oda a bejárat félig fallal védett részéhez, amelyben persze ott van elrejtve a bomba. Szóval csak egy gombot kell megnyomnom, könnyű meló. Elég hozzá egy ember is. De persze kettőt küldtek. Végtére is mindig kettőt szoktak. Az ember sosincs egyedül. Bemész a moziba, és azt látod, hogy a filmben a fazon egyedül van? Nyilvánvalóan nincsen, hiszen ott az operatőr, aki egyenesen a képébe tolja a kamerát. Máskülönben nem láthatnád, nem lenne film. Minimum két ember kell hozzá. És így volt ez a mi esetünkben is. Két ember. Ha mesterlövész lettem volna, akkor a másik felderítő. Csakhogy én nem vagyok mesterlövész, itt pedig csak egy gombot kell megnyomni. Nincs szükségem felderítőre. Mégis itt volt. Valószínűleg CIA-s a fickó. Folyamatosan beszélt hozzám. Minden bizonnyal azért volt jelen, hogy validálja a célpontot, és engedélyt adjon. Talán nem akarták, hogy rádión keresztül balul süljön el valami, úgyhogy közvetlenül mellém, a fülemhez rakták a fazont. Feltehetően ő tudja, hogy ez a bizonyos Mercedes szedán még odébb jár, vagyis még van idő, és így az ő engedélyére egy ideig még nem lesz szükség. És amúgy is ráláttunk az útra. Legalábbis a kanyartól számított utolsó pár száz méterre mindenképpen. Kilométerekkel távolabbról látnánk a porfelhőket is, de egyet sem vettünk észre, így a fazonnak volt ideje beszélni. És elmondta, hogyan jutottunk ilyen messzire ezzel a herceggel. Felvázolta az egészet. Elmesélte, hogyan csinálták. Ami mellesleg nem volt túl bonyolult. Csupán néhány viszonylag egyszerű lépés volt az egész. Összehangoltan kellett dolgozniuk, ez garantálja a pozitív eredményt. És persze az egyik szál a jó öreg csajozós trükk volt, amely rendben működött is. Legalábbis a mellettem álló fazon ezt mondta. Mert úgy tűnt, ő volt ennek a résznek a felelőse a programban. Ő volt a főnök. Ő küldte a lányt. A dolog egyértelműen a jó választáson múlt. Jól kell felmérni a feladatot, és a megfelelő lányt kell küldeni. És ő ezt jól csinálta. Kellő magabiztossággal választott, úgy hiszem. A gond ott kezdődött, hogy az ő szakértő megítélése szerint a munkára legalkalmasabb lány éppen az volt, akibe ő maga is beleszeretett, és ez egyértelműen nagyon kellemetlen helyzetbe hozta őt. Csatába kellett küldenie azt a lányt, akit szeretett. És nem fegyverekkel meg bombákkal vívott csatáról volt szó. A lány által használt fegyverek ennél sokkal személyesebb jellegűek voltak, a fazon pedig ezt pontosan tudta. Ő volt a főnök. Persze nem azt mondom, hogy ő találta ki ezt a játékot. Csak ő volt a világon a vezető tényező jelenleg ezen a téren. Ő volt a nagykutya. Szó sincs arról, hogy megkérdőjelezném a fickót. Azt tette, amit kellett. Profi volt.

Az országát helyezte mindenek elé. Szóval a lány ment, és nyilvánvalóan remek munkát végzett. Két hét kellett csupán, és a herceg a Mercedesében ülve a háza felé tartott. Ez aztán a szorgalom. Két hét elég rövid idő. Két hét alatt pozitív eredményt elérni igencsak lenyűgöző. De persze nekem azért még meg kell nyomnom azt a gombot. Rám is szükség volt, én voltam az utolsó lépcsőfok. Annyi volt a dolgom, hogy megnyomjam a gombot, amint megjelenik a pasas. Ő pedig fel fog bukkanni a másik fazon barátnője miatt. A lány mindenféle dolgot csinálhatott. A fazon tudta ezt. Ezek a lányok már csak ilyenek. De a fickó mintha letagadná mindezt. Legalábbis arról magyaráz nekem, hogy ez a lány más. Talán nem csinálta azokat a dolgokat. Vagy talán mégis. Nem teljesen egyértelmű számomra mindaz, amit előad. És ha mégis megtette, akkor is csak a küldetésért, amelynek a fazon a vezetője. A lány tudta, hogy a férfi tisztában van a megbízatás jelentőségével. Ezért tette meg. Leszállítja a herceget, és én arra várok, hogy megnyomhassam a gombomat, ami mellesleg egy mobiltelefoné. Mostanság már mobilokat használunk. Egy komplett hálózatot építettek ki nekünk csak arra, hogy felrobbantsunk dolgokat. Magántőke. A szolgáltató pedig fogadja a panaszokat. A rádióknál nem lehetett panaszt tenni. Ha valami nem jól alakult, megvontad a vállad, és másnap újra próbálkoztál. De ha valakinek megszakad a vonal, az reklamálni fog. Méghozzá nagyon hangosan. Lehet, hogy valami fontosat akart éppen elintézni. Így aztán a telefontársaságok igyekeznek jól működtetni mindent. Az egyetlen hátulütő az időeltolódás. Tárcsázol egy számot, és hosszú idő telik el, amíg az ki is csöng. Mindenféle tornyok, számítógépek, technikai eszközök vannak útban. A késedelem akár nyolc teljes másodperc is lehet, és éppen emiatt olyan lényeges az időzítés. Jól kell elcsípnem a herceg tempóját ahhoz, hogy nyolc teljes másodperccel azelőtt nyomjam meg a gombot, mielőtt odaér, ahová indult. Miután megérkezik az autóval. Ami még mindig nem történt meg, így volt ideje a fazonnak tovább beszélni, és ő beszélt is, legfőképp a lányról. Együtt éltek. Persze az alatt a két hét alatt, amíg a herceggel volt, nem. És épp erre futott ki egész beszélgetés, helyesebben a fickó monológja: meg akart győzni engem arról, hogy ő ezzel teljesen ki van békülve, és hogy a lánynak is megfelel, hogy ő rendben van a dologgal. Komplett aknamező. De állítólag egyikük sem bánta. Erről akart engem a fazon meggyőzni az egyórásra duzzadó várakozás közben. Egy órát vártunk. Egy órával hamarabb a helyünkön voltunk, ami azt bizonyítja, hogy a fazon betervezte ezt az időt, hogy beszélhessen, hiszen ő készítette a menetrendet, és ő fecsegett egyfolytában a lányról. Ez a lány egy angyal volt, én pedig készséggel el is hittem, mivel ezt a fazont nem lehetett egyszerű elviselni. Aztán beszélt azokról a dolgokról, amiket együtt szoktak csinálni, és ez alapján úgy tűnt, számos boldog év van a hátuk mögött. Már túl voltak a nászutasidőszakon, de még nem viselkedtek úgy, mint egy öreg pár. Átlagos, vidám, mégis kissé kísérletezgető dolgokat műveltek együtt. Meggyőző leírást adott. Abban a pillanatban biztos voltam benne, hogy igaz. És nyilvánvalóan az is volt. Végül sok ember meggyőződhetett róla. De már akkor is látható volt. Én hittem a fazonnak. Elküldte a lányt a herceghez. Előtte hétvégén még remekül érezték magukat együtt. Nekik ez belefért, úgyhogy belevágtak. Hétfő reggel a lány elindult, és ennyi. A fazon a főnök, a lány terepen van, nincs közöttük semmilyen kapcsolat. A lány hivatalosan most nem létezik a számára. Eltűnt. Lehet, hogy vissza sem tér. Mert vannak, akik nem jönnek vissza. Voltak már veszteségek. Ezért van a protokoll. Semmi személyes kötődés. Amit egészen eddig lepleztek, de most muszáj élesben is kezelniük a helyzetet. Csakhogy ők nem ezt tették. Titokban találkozgattak, ami szakmailag őrült nagy tabunak számít. Mindent elszúrhat örökre. Dupla rizikó. A lány így nem lesz már letagadható, a férfi pedig felfedi magát. Mégis megtették, és nem csak egyszer. Két hét alatt ötször találkoztak. Öt napon a tizennégyből. Ez egy igen tekintélyes arány. Majdnem a fele. Ami sok időkiesést jelent. Lenyűgöző teljesítmény. A lány két hét alatt elvégezte a munkát úgy, hogy az idő felében visszajárt találkozgatni a barátjával, aki mindent elmesélt nekem ezekről a találkákról. Ez pedig egy újabb hatalmas hiba, a szakmai fegyelem megszegése. Mert hát ki is vagyok én? Legalább egy személyit kérhetett volna. De nem tette, ami azt jelenti, hogy szerinte én csak valami jelentéktelen, süket pasas vagyok. Ez persze ironikus, hiszen én éppen olyan voltam, mint ő. Én is kormányzati tiszt voltam. Egyenértékű vele minden szempontból. Leszámítva, hogy nekem nem volt csajom, neki pedig igen. És ő találkozgatott vele. Első alkalommal a lány még rendben volt, nemrég találkozott először a herceggel, és még csak ismerkedtek. A második találka alkalmával már nem volt minden annyira rendben. Addigra már túlléptek az ismerkedős szakaszon. Huszonnégy tetves óra után a herceg már csinált ezt-azt. Ez teljesen egyértelmű volt. De itt nemzetbiztonsági kérdésről van szó. Felrobbantasz valakit Indiában, és ezzel egy halom gondot megspórolsz a későbbiekben, talán még a világot is megmented. Az biztos, hogy egy ilyen fazonnak és a barátnőjének hinnie kell az ilyesmiben. Vagy már korábban is hittek ebben, még mielőtt összejöttek volna. Talán éppen ezért keresnek ilyen munkát, mert hisznek bizonyos dolgokban. Hisznek abban, hogy van az övékénél fontosabb érdek. Ezért megy vissza a lány a herceghez a második találka után is. Könnyű kitalálni, mit is csinál a férfi, mert a harmadik találka alkalmával már nagyon rossz állapotban van a lány. Nem ütötte meg a herceg. Ez nem testi fenyítés. Lehet, hogy nem is tesz egyáltalán semmit. Lehet, hogy teljesen naiv és tapasztalatlan. Lehet, hogy nincsenek igényei. Bármilyen forgatókönyv elképzelhető. De a lánynak meglehetősen alázatosan kell kiszolgálnia a herceg igényeit, bármik is legyenek azok. Mosolyognia kell és pukedliznie, mintha ő lenne a legboldogabb nő a világon. Ez pedig megterhelő lelkileg. Nem élvezte, de visszament. Eltökélten végre akarta hajtani a küldetést. Ő már csak ilyen volt. Emiatt pedig a főnök állandóan önmagával viaskodott. Nem állíthatta meg a lányt, akit szeretett, mert ha megtenné, nem szeretné igazán. Hiszen a lány ragaszkodna hozzá, hogy mennie kell. És ő is ragaszkodna hozzá, hogy a lány menjen. A nemzetbiztonság nagyon fontos. Ezek az emberek hisznek ebben. Muszáj nekik. Úgyhogy a lány ismét ment. Újra és újra. A negyedik találkán már erősebbnek tűnt. Az ötödiken még inkább. Már ő irányított. Jól haladt. Olyan volt, mint egy bokszoló, aki épp elnyerte az övet. Persze a fazonnak fájt, de csak egy kicsit. A lány már csak ilyen volt. Le fogja szállítani a herceget. Vitathatatlanul világbajnok. Már majdnem végzett. Haza fog jönni. Bár az is lehet, hogy a bokszolónak jobban fájnak az ütések, mint ahogy mutatja. Talán még sincs jól. Talán fáradt, de már közel a cél. Úgyhogy csak színlel a fazon előtt. Úgy tesz, mintha rendben lenne, és visszamegy. De a túlzás is a tettetés része. Szállítani fogja a herceget, de nem lesz könnyű. Nem lesz olyan egyszerű, mint amilyennek feltünteti. Kénytelen a lány ösztönzőket felajánlani, amelyeket a férfi előtt elhallgat. Mert túloz. Jobbnak állítja be a dolgot, mint amilyen valójában. Uralja a helyzetet, de nem teljes mértékben. És leplezi, hogy a fazon ne tudjon róla. És akkor meglátjuk a porfelhőt a távolban, és várunk, és megjelenik a Mercedes a kanyarban, és megteszi az utolsó pár száz métert. Drága autó, de poros, és épp ott áll meg, ahol kell, és a herceg kiszáll a hátsó ülésről. Faragatlanul nyitva hagyja maga mögött az ajtót, és csak úgy elsétál, hiszen ő a világ ura, és én már számolom a léptei ritmusát. Az energikus, sportos fickót adja, de lassabb a járása, mint amilyennek tűnik. Rajta vagyok, és pontosan tudom, mikor fogom megnyomni a gombot. Aztán kikászálódik a lány is a kocsiból, mint aki leejtett egy noteszt vagy valamit odabent, és ezért késlekedik egy pillanatot. Ha jól sejtem, tényleg ez történt, mert a testbeszédével mintha szabadkozna, és azután utoléri a herceget, majd gyengéden belekarol. Az igazat megvallva már-már izgatottan, amiből egyértelművé válik, hogy valami nagyon különlegeset kellett előtte ígérnie a férfinak, hogy ott tartsa. Talán valamelyik szobában. Talán valami olyasmit, amit a herceg eddig még sosem csinált. Úgy vihognak, mint a kisiskolások, és megállíthatatlanul haladnak előre. Épp ott vannak annál a pontnál, ahol meg kell nyomni a gombot. Mostanra az engedélyezés folyamata súlyos léket kapott. Csak gagyogunk egymásnak, de egyet tudunk:

a nemzetbiztonság nagyon fontos. Ez mindannyiunkon túlmutat. Hiszünk ebben. Muszáj. Úgyhogy megnyomom a gombot. Az időzítésem jó. Miért is ne lenne? Magabiztosan mértem be a sebességet és az irányt. Nyolc másodperc. Tökéletesen egy vonalban voltak a fallal, amikor az felrobbant. Mindketten odavesztek. És ez a romantikus történet vége.

Az első drogtárgyalásom

Vajon okos ötlet volt elszívni egy pipát a bíróságra indulás előtt? Valószínűleg nem. A vád nagy mennyiségű kábítószer birtoklása, az első benyomás pedig számít, és a tárgyalóterem olyan, mint a színház, minden szem a két főszereplőre szegeződik: a bíróra és legfőképp a vádlottra. Szóval okos ötlet volt?

Valószínűleg nem.

De volt más választásom? Természetesen előző éjjel szívtam már egy jó nagy adaggal, hogy őszinte legyek. Mert ideges voltam. Nem tudtam volna aludni nélküle. Nem mintha egyáltalán megpróbáltam volna akár csak egyetlen éjjel is az elmúlt húsz évben. Az esti pipázás rutinnak számított. A rendesen beálltak álmát aludtam, és ébredéskor normálisnak éreztem magam. Normálisan néztem ki, és normálisan viselkedtem, biztos vagyok benne. Reggelinél a feleségem nem tett az ellenkezőjére utalást, épp csak annyit mondott: „Használj egy kis szemcseppet, szívem!" De ebben a mondatban nem volt valódi aggodalom. Ugyanezzel a hanghordozással adott tanácsot, hogy melyik nyakkendőt vegyem fel. Ennek pedig örültem, hiszen nyilvánvalóan nagy nap volt számomra a mai.

Szóval megborotválkoztam, csepegtettem a szemembe, aztán zuhanyoztam, amit ezen a napon különösen szimbolikusnak éreztem. Valósággal megtisztultam tőle. Úgy éreztem, éppen most mosok ki a hajamból és öblítek le a bőrömről valami viaszos maradványt, amelyet csak én látok. Eltűnt a lefolyóban, és én ott maradtam a frissesség és a tisztaság érzésével. Egy új ember, ismét. Egy ártatlan ember. Még egy percig álltam a meleg vízsugár alatt, és a milliomodik alkalommal határoztam el, hogy leszokom. A fű nem okoz függőséget. Nincs fizikai komponense. Minden csak rajtam múlik. És tudtam, hogy abba kellene hagynom.

Az érzés addig tartott, amíg befejeztem a fésülködést. A fürdőszoba fényei hidegnek és unalmasnak hatottak. Lecsapott rám a jó öreg sivárság. A gond az, hogy ha valaha is megszálltál már a Ritzben, nem akarsz visszamenni az útszéli motelbe. Volt még egy üres órám. A tárgyalások sosem kezdődnek korán. Úgy terveztem, hogy kihasználom az időt, és átgondolok még néhány pontot. Arra nem számíthatsz, hogy az ügyvédek mindent észrevesznek. Egy férfinak felelősséget kell vállalnia. Úgyhogy bementem a dolgozószobámba. Ott volt a pipa az asztalon. A fű nagyja már megfeketedett benne, de maradt még néhány morzsa, ami nem fogott tüzet.

Kinyitottam az első dossziét. Természetesen mindenről adtak másolatot, a teljes feltárt tényanyagról, az összes perbeszédről, tanúvallomásról. Nyilvánvalóan ismertem a tényeket. És ha tárgyilagosan nézzük, nem állt túl jól a szénám. Bármelyik jól fésült tévés elemző azt mondaná: „Jelen helyzetben a dolgok nem állnak túl fényesen a vádlott szempontjából." De voltak lehetőségek. Valahol. Kellett, hogy legyenek. Hány dolog szokott pontosan a terv szerint alakulni?

Az a néhány el nem égett morzsa kövér és kerek volt. A fiókban lapult egy öngyújtó. Tudtam, hogy ott van. Egy sárga, műanyag gyújtó valamelyik benzinkútról. Nem bírtam megfelelően koncentrálni, ahogy kellett volna. Szükségem volt arra a különlegesen emelkedett állapotra, amit olyan jól ismertem. És csak egy karnyújtásnyira volt.

Felelőtlen betépve menni az első drogtárgyalásomra.

De felelőtlen úgy készülni, hogy jócskán elmaradok a legjobb formámtól.

Nem igaz?

A kisujjam körmével a helyén tartottam a morzsákat, amíg a körülötte lévő hamuból kiráztam valamennyit. Meggyújtottam az öngyújtóval. A füstnek száraz, poshadt íze volt. Benn tartottam, vártam és vártam, aztán egyszer csak ott volt a zsongás. Csak mikroszkopikusan. Éreztem az apró bizsergéseket, először a mellkasomban, a tüdőm közelében. Éreztem, ahogy minden egyes sejt a testemben vibrál és duzzad. Éreztem, ahogy felderül a fény, és kitisztul a fejem.

Az el nem égett morzsák... Semmit sem szabad elpazarolni. Az bűn lenne.

A jól fésült elemzők azt mondanák, hogy a vádirat gyenge pontja a lefoglalt anyagról készült laborjelentés. De a gyengeség relatív fogalom. Mindenképpen elmarasztaló ítéletet várnának. Azt mondanák, hogy az egész a védelem gyengeségén úszik el.

Felesleges tovább olvasni.

Egyértelműen egyenes út.

Nincs mit tenni, így haszontalan marad ez az üres óra.

Visszatettem a pipát az íróasztalra. Az egyik fiókban gemkapcsok is voltak. Mögöttem a polcon egy porcelánedény Rejtekhely felirattal. Még a bátyám vette nekem. Gondolom, viccből. Egy zacskó volt benne, tele Long Island-i fűvel. Amszterdamból származó magokból termesztették egy elhagyatott krumpliföldön, ami elég közel volt jó pár hamptonsi kúriához, és ez távol tartotta a rendőrségi helikoptereket. A gazdagok nem bírják a zajt, leszámítva, ha ők csapják.

Elővettem egy kapcsot a fiókból, kihajtogattam, és kitisztítottam vele a pipát. Egyszerű házimunka, semmi egyéb. Mint amikor bepakolsz a mosogatógépbe. Nem érdemes elmaradni az apró feladatokkal. A hamuból pici, kúp alakú halmot szórtam egy papír zsebkendőre, amit aztán galacsinná gyúrtam, és bedobtam a szemeteskosárba. Fújtam egyet a pipába, jó erősen, mint egy pigmeus harcos a dzsungelben. Az utolsó pordarabkák is kirepültek, lebegtek, és aztán leülepedtek valahol.

Tiszta.

Készen áll.

Persze csak későbbre, mert a korábban el nem égett morzsák most még tették a dolgukat. Pár centivel a föld felett lebegtem, kellőképpen jól éreztem magam. Legalábbis egyelőre. Egy óra, és csúszok majd vissza a föld felé. Jó időzítés. Tiszta szemmel és egyenes gerinccel nézek majd szembe bármivel, amit a nap hoz. Viszont a nap kétségtelenül hosszúnak ígérkezett. Hosszú, kemény, stresszes nap bármiféle segítség vagy jutalom nélkül. És semmit nem tehettem ellene. Még én sem voltam annyira ostoba, hogy egy kábítószer-birtoklásról szóló tárgyaláson egy zacskóval a zsebemben jelenjek meg. Nem mintha bárhol is szívhattam volna egyáltalán. Nyilvános helyen biztos nem. Ez mind a társadalmi összeomlás része. Semmi jó szándék, semmi kényelem. Semmi öröm.

Az edénykés polc felé fordultam a széken. Csak egy pillantás. Éreznem kellett a Ritz ígéretét, ami itt vár rám egy lepukkant motelben töltött, hosszú nap után. Levettem az edényke fedelét, kivettem a zacskót, és felrázogattam. Fakózöld, barnásba hajló, száraz és enyhén ropogós, készen arra, hogy azonnal elégjen. Gyorsabb égés esetén tapasztalatom szerint élesebb az íze, de hamarabb is hat. És az idő számítani fog.

Eldöntöttem, hogy ott és akkor megtömöm a pipát, hogy készen álljon. Ne legyen semmi késlekedés. Hazajövök, és azonnal rágyújtok. Micsoda megkönnyebbülés lesz! Minden az időzítésen múlik. Összemorzsoltam egy adagot, megtöltöttem a pipafejet, és lenyomkodtam. Letettem az asztalra, és megnyaltam az ujjamat.

Minden az időzítésen múlik. Nem mehetek beállva a bíróságra, az tuti. Egyértelmű. Habár miből is vennék észre? Nem lesz túl nagy szerepem. Legalábbis az első napon biztosan nem. Egyszer-egyszer rám pillantanának, és ennyi. De azért jobb a biztonsági játék. Csak a józan rés miatt aggódtam. Az el nem égett morzsák már jóval azelőtt feladják majd, hogy beérnék a belvárosba, és ez így nem hatékony. Ki akar húsz perccel több szenvedést annál, mint ami feltétlen szükséges?

Felemeltem az öngyújtót. Senki a világon nem tud többet nálam arról, hogyan ég a jó fű. A láng belenyal a felső rétegbe, megbarnítja és megfeketíti. Azonnal beszívod, és tartod, tartod,

tartod, aztán a teteje kialszik megint, és még tartod egy kicsit, majd kilélegzel, és már be is üt az érzés. Aztán még mindig ott van az anyag kilencven százaléka a pipában, érintetlenül, csupán egy kis színt kapott. Akár kilencvenöt is. Véletlenül sem olyan, mint a cigizés. Csak egyetlen öngyújtópöccintés, csak egy szimpla mozdulat...

És e nélkül a mozdulat nélkül a feltétlen szükségesnél húsz perccel több szenvedés.

Mit tegyen az ember?

Pöccintettem egyet az öngyújtón. Beleszívtam. Mélyen bent tartottam az érdes, forró és megnyugtató füstöt.

Ekkor belépett a feleségem.

– Jesszus! – kiáltott fel. – Éppen ma?

Szóval valójában az ő hibája volt. Túl hamar lélegeztem ki, nem volt meg a teljes hatás.

– Nem nagy ügy – mondtam.

– Függő vagy.

– Ez nem okoz függőséget.

– Érzelmileg – mondta. – Pszichológiailag.

Ez afféle női dolog, gondoltam. Ha egy férfinak kavics kerül a cipőjébe, kiszedi, nem igaz? Ki sétál egész nap egy kaviccsal a cipőjében?

– Az elkövetkező egy órában még semmi nem fog történni – mondtam.

– Nem engedheted meg magadnak, hogy elaludj vagy kábának tűnj. Ugye érted? Kérlek, mondd, hogy érted!

– Ez csak egy kis semmiség volt – feleltem.

– Ennek lesznek következményei – mondta. – Most minden olyan jól megy. Nem engedhetjük meg magunknak, hogy mindezt elveszítsük.

– Szerintem is minden jól megy. Mindig is jól ment. Úgyhogy ne aggódj!

– Éppen ma! – ismételte.

– Ez csak egy kis semmiség – mondtam én is újra. Előretartottam a pipát. – Nézz bele!

Belepillantott. Pont, ahogy jósoltam. A felső réteg enyhén megbarnult, de a többi érintetlenül maradt, csak egy kis színt kapott. A kilencvenöt százaléka még ott van. Egy leheletnyi friss levegő. Egyáltalán nem olyan, mint a cigizés.

– Nincs több, rendben? – jelentette ki.

Amihez abszolút tartottam volna magam, ha épp az imént nem vesztegettem volna el miatta azt az első, becses pillanatot. És jól akartam időzíteni. Ennyi volt az egész. Sem több, sem kevesebb. Felkészülten akartam várni, amikor a kövér, egyenruhás fickó elordítja magát: *Mindenki álljon fel!* De nem idő előtt. Semmi, de semmi értelme hamarabb készen állni.

A feleségem hosszan nézett rám, aztán kiment a szobából. Az értem küldött autó húsz percen belül érkezik. A belvárosig még egyszer húsz perc az út. Plusz még húsz perc jövés-menés, mielőtt nekilátunk. Összesen egy óra. Az az egy elvetélt slukk átsegített volna ezen. Ebben biztos voltam. Úgyhogy elég lesz egyetlen másik helyette. Talán egy kicsivel kisebb, hiszen már eltelt azóta valamennyi idő. Vagy esetleg egy árnyalattal nagyobb adag, ami kompenzálja a rövid idegeskedést. A feleségem miatt kiestem a lendületből. A rituálé fontos, és ha megakasztanak, az aránytalanul nagy rombolást végezhet.

Újrapöccintettem a sárga öngyújtót. Forró, tiszta, nyugodt, sárga láng. A gond az, hogy a cucc a második rágyújtáskor jobban ég. Mintha az alsóbb, már színt kapott rétegek vigyázzállásban várnák a pillanatot. Ismerik a sorsukat, és azonnal készek az együttműködésre. A füst egy egész felhőben érkezett, és mélyet kellett lélegeznem, hogy teljesen beszippantsam. Másodszorra a fű korántsem alszik ki olyan hamar. Parázslik tovább, úgyhogy muszáj még egyet szippantani. Csak semmi pazarlás, hiszen sok kicsi sokra megy.

Aztán a harmadik slukk.

Akkorra már tudtam, hogy igazam volt. Kellemesen haladok végig a reggelen. Megmentettem az egész napomat. Nem fenyeget az elálmosodás veszélye. Nem fogok kábának tűnni.

Élénk és éber vagyok, tele energiával, nyitott mindenre, mindent olyannak látok, amilyen: varázslatosnak.

Negyedik szippantás. Ehhez ismét kellett a gyújtó. A sűrű szürke füst azonnal elérte kielégítő hatását. Még azt is éreztem, ahogy a hajhagymáim nőnek. A tüszőkben dúlt a mikroszkopikus élet. Hallottam, ahogy a szomszédaink munkába készülődnek. Határozott és tiszta volt minden körülöttem. A gerincem olyan volt, mint az acél: meleg, egyenes és hajlíthatatlan. Titokzatos belső csőrendszerében gyorsan, pontosan, logikusan és célzottan száguldoztak az agy utasításai.

Működtem.

Teljesen jól működtem.

Egy ötödik löket. Rengeteg fű volt a pipában. Alaposan megpakoltam. Egy kis kényeztetés a hazaérkezőnek, nemde? Ez volt az eredeti szándékom. Nem egy reggeli első kör. De hát ott volt, úgyhogy elszívtam.

Jól éreztem magam a kocsiban. Még jó hogy! Készen álltam a világ legyőzésére. Képes is voltam rá. Úgy tűnt, hogy a dugó feloszlik, és minden lámpa zöldre vált előttünk. *Bármi jöhet, bébi!* Egy férfinak mindig a képességei legjavát kell nyújtania. Kevesebbel nem érheti be. A legszebb arcát kell mutatnia, ezzel tartozik önmagának és a világnak is, az pedig, hogy hogyan éri ezt el, már az ő dolga.

Az egyik hátsó bejáraton vittek be, mert az előcsarnok olyan volt, mint egy állatkert. A cipőm gyorsan, ütemesen és határozottan kopogott a kövön. Egyenesen, hátrahúzott vállal álltam. Egy szobában kellett várnom. Az ajtón keresztül hallottam a tömeget. Mély, feszült zúgás. Mind arra vártak, hogy belépjek a terembe. Több száz szempár figyelte, ahogy megjelenek.

– Itt az idő – mondta valaki.

Belöktem a tárgyalóterembe vezető ajtót. Láttam az ügyvédeket, a hallgatóságot és az esküdtek sorát. Láttam a védőügyvédet az asztalánál. A kövér, egyenruhás fickó elordította magát:

– Mindenki álljon fel!

Esőtől nedves

Great Victoria Street

A születéseket és az elhalálozásokat rögzítik az országos nyilvántartásban. Népszámlálási adatok, bérleti szerződések és régi jelzáloghitelek: ezek is mind nyilvánosak. Ahogyan az azokból az országokból beérkező állampolgársági kérelmek is kikérhetők, ahol az angol a hivatalos nyelv. Sokféle családfakutató oldal van fent a neten. Ezek a tényezők mind segítették a munkánkat. Csupán egyetlen történelmi igazság dolgozott ellenünk. Az utcát az 1960-as években építették, nagyjából ötven évvel ezelőtt. Ekkora időtávot az idősebbek még fel tudnak idézni. Az eredeti lakók nagy része már meghalt, de voltak családtagjaik, akik biztosan jártak itt, és talán még emlékeztek. Gyermekek és unokák, a családi legendárium őrzői, akik így akár még gondot is okozhatnak.

De összességében szerencsésnek mondhattuk magunkat. A kérdéses ház első lakói már rég meghaltak, és nem voltak gyermekeik. A férjnek akadtak még élő testvérei, de vagy Ausztráliába, vagy Kanadába költöztek. A feleség egyetlen még élő testvére a környéken lakott ugyan, de már túl volt a nyolcvanon, és nem tartották beszámíthatónak.

Az első házaspár óta a helynek öt tulajdonosa volt, viszont közülük a legtöbben az utóbbi években laktak itt. Úgy éreztük, ez időben kellő távolságot biztosít. Így aztán a második terv harmadik variánsát választottuk. Hairl Carter jött velem. Ifjabb Hairl Carter, hogy pontosak legyünk. Az édesapját is így hívták. Délkelet-Missouriból származtak. A nagymamája Haroldnak nevezte el elsőszülött gyermekét, Hairl édesapját, de mivel az idős hölgy összesen három osztályt végzett, fonetikusan tudott csak betűzni. Szóval a Hairl Haroldot jelölt, csak fonetikusan. A nagymama sosem jött rá, hogy ez furcsa. Mindannyian Harrynek hívtuk az unokáját, ami nem igazán tetszett neki.

Harry végezte a papírmunkát, ami elég könnyű volt, mert folyamatosan gyártottuk a fénymásolatokat, hiszen azok sok bűnt ellepleznek. Nyitottam egy számlát az egyik washingtoni bankban a társaság nevében, és betettem rá félmillió dollárt. Kaptunk hitelkártyákat és csekk-könyvet, aztán gyakoroltunk. Lepróbáltuk, mint egy politikai vitát. Ugyanaz a beszélgetés újra és újra, végiggondolva minden csavart és mellékvágányt. Találtunk gyenge pontokat, de nem volt más választásunk, mint nekifutni. Azzal számoltunk, hogy az elszántságunk láttán eszükbe sem jut majd alaposabban átgondolni a dolgot.

Először Londonba repültünk, aztán Dublinba, ahonnan végül egy olyan csatlakozással jutottunk el Belfastba, ami olcsóbb volt, mint egy csésze kávé. Fogtunk egy taxit, és az Európa Hotelbe vittük magunkat, mert úgy gondoltuk, a magunkfajták ott szoktak megszállni. Ott a portás intézett nekünk másnapra egy autót. Aztán lefeküdtünk aludni. Úgy számoltuk, hogy holnap késő délelőtt lesz a zéró óra.

Egy új Mercedest kaptunk, és a sofőrnek nem nagyon volt ellenvetése a címet illetően – ami egy leroggyant sorház utolsó előtti unalmas, szegényes épületéhez vezetett. A deszkaborításról, ami bizonyára olcsóbb volt, mint a tégla, már lepergett a fehér festék. A tetőt rég bemohásodott betoncserepek fedték. A távolban a hegyek bársonyos, valószerűtlenül zöld sziluettje sem oldotta a körülöttünk lévő épített környezet zordságát. Kellemesen hideg szellő fújdogált, az utca és a járda is szürkén ragyogott.

A kocsi a járdaszegélynél várakozott, amíg mi kinyitottuk a törött kaput, és felsétáltunk a rövid ösvényen az előkerten át. Carter megnyomta a csengőt, és az ajtó azonnal kinyílt. A Mercedest nem lehetett nem észrevenni. Egy zömök testalkatú, sápadt nő nézett ránk pufók arccal az ajtóban.

– Kik maguk?

– Amerikából jöttünk – mondtam.

– Amerikából?

– Azért utaztunk idáig, hogy önnel találkozzunk.

– Miért?

– Ön Mrs. Healy, ugye? – kérdeztem, pedig pontosan tudtam, hogy ő az. Mindent tudtam róla. Tudtam, hol született, mennyi idős, és mennyit keres a férje – ami nem volt sok. Gyakorlatilag mindennel egy hónapos elmaradásban voltak. Reméltem, hogy emiatt is könnyebb dolgunk lesz.

– Igen, én vagyok Mrs. Healy – felelte a nő.

– A nevem John Pacino, és ő itt a kollégám, Harry Carter.

– Jó reggelt mindkettőjüknek!

– Ön egy nagyon érdekes házban lakik, Mrs. Healy.

A nő bambán meredt ránk, aztán kidugta a nyakát az ajtóból, és a homlokzatra bámult.

– Valóban?

– Legalábbis számunkra érdekes.

– Miért?

– Ha megengedi, elmesélnénk önnek.

– Kérnek egy kis teát? – kérdezte.

– Az remek volna.

Így aztán bevonultunk a házba, először Carter, aztán én, és máris valamiféle előzetes elégedettség töltött el bennünket, mintha a kezdő ütőnk már el is érte volna a bázist. Semmi garancia, de eddig jól ment. Odabent állott, dohos, ételszagú levegő fogadott bennünket. Egy képzett elemző az előző nyolc étkezésük összes hozzávalóját listázni tudta volna. Úgy sejtettem, mindegyik főtt vagy sült étel lehetett.

Ez nem az a háztartás, ahol a vendégek először a szalonban várakoznak. Követtük a nőt a konyhába, ahol száradó ruhák lógtak egy fregolin. Megtöltött egy kannát, és begyújtotta a tűzhelyet.

– Meséljék el, mi olyan érdekes a házamban! – szólalt meg.

– Van egy általunk igencsak csodált író, akit Edmund Wallnak hívnak.

– Itt?

– Amerikában.

– Író?

– Novellista. A legjobbak közül.

– Sosem hallottam róla. Persze nem is olvasok sokat.

– Tessék! – mondta Carter, és elővette a zsebéből a másolatokat, majd kisimogatta őket a konyhapulton. Úgy szerkesztettük meg, hogy Wikipédia-oldalaknak tűnjenek. Ami trükkösebb, mint ahogy azt az ember gondolná, mivel a Wikipédia-oldalak nyomtatva másképp néznek ki, mint a képernyőn.

– Híres? – kérdezte Mrs. Healy.

– Nem egészen – feleltem. – Az írók manapság nem igazán szoktak hírnévre szert tenni. De nagy megbecsültségnek örvend azok között, akik szeretik az efféle dolgokat. Van egy rajongói klubja. Ezért vagyunk itt. Én vagyok a társaság elnöke, és Mr. Carter a titkár.

Mrs. Healy alig észrevehetően feszültebbé vált, mintha az merült volna fel benne, hogy el akarunk adni neki valamit.

– Sajnálom, de én nem szeretnék csatlakozni. Nem ismerem őt.

– Nem is ezzel az ajánlattal jöttünk önhöz – mondtam.

– Hanem?

– Ön előtt Robinsonék éltek itt. Ugye jól tudom?

– Igen – felelte.

– Előttük a Donnelly, még korábban pedig a McLaughlin család.

A hölgy bólintott.

– Mindannyian rákosak lettek. Egyik a másik után. Az emberek azt beszélték, hogy ez egy elátkozott ház – tette hozzá.

– És ez önt nem nyugtalanította, amikor megvette? – néztem rá aggodalmasan.

– Az én hitembe nem férnek babonák.

Az ilyen okoskodástól az ember agya eldurran. Ezzel belém is fojtotta a szót. Carter vette fel a fonalat:

– És McLaughlinék előtt a McCann család, jóval korábban, elsőként pedig a McKenna család élt itt.

– Akkor még meg sem születtem – mondta a nő érdektelen hangon, és éreztem, hogy a futó éppen pontszerző pozícióba került.

– Edmund Wall ebben a házban született – mondtam.

– Kicsoda?

– Edmund Wall, az amerikai novellista.

– Egyetlen Wall nevű ember sem lakott itt soha.

– Az ő édesanyja Mrs. McKenna jó barátja volt. Még a legelején. Eljött Amerikából látogatóba. Azt gondolta, van még egy hónapja, de a baba korábban érkezett.

– Mikor?

– Az 1960-as években.

– Ebben a házban született?

– Odafent a hálószobában. Nem volt idő bemenni a kórházba.

– Egy kisbaba?

– A pici Edmund Wall.

– Erről sosem hallottam. Mrs. McKennának él még egy húga. Erről még sosem mesélt.

Mintha a futót visszaintették volna.

– Maga ismeri Mrs. McKenna húgát? – kérdeztem.

– Néha-néha röviden beszélgetünk. Olykor összefutunk a fodrásznál.

– Ennek már ötven éve. Milyen az idős hölgy memóriája?

– Szerintem egy ilyen történetre az ember szokott emlékezni.

– Talán elhallgatták a dolgot – szólt közbe Carter. – Lehetséges, hogy Edmund édesanyja nem volt férjnél.

Mrs. Healy elfehéredett. Illetlenség, skandalum az ő házában! Rosszabb, mint a rák.

– Miért mondják ezt el nekem?

– Mert az Edmund Wall Rajongói Társaság szeretné megvásárolni a házát.

– Megvásárolni?

– Múzeumnak. Afféle élő emlékháznak, voltaképpen. Természetesen az emberek meglátogathatnák a szülőhelyét, de itt őriznénk az iratait is. Kutatóközpont is lenne egyben.

– Van, aki ilyesfélét csinál?

– Mármint olyan, aki kutatást végez?

– Nem, hanem olyan, aki elmegy írók szülőházába.

– Sokan csinálnak ilyet. Sok író szülőházából lett múzeum vagy turistalátványosság. Igazán nagylelkű ajánlatot tudunk tenni. Edmund Wallnak sok szenvedélyes híve van Amerikában.

– Mennyire lenne nagylelkű az a bizonyos ajánlat?

– A legoptimálisabb terv szerint önök kiválasztják, hol szeretnének élni a jövőben, és mi gondoskodunk róla, hogy ez megvalósuljon. Persze észszerű keretek között. Talán egy új házban. Mindenfelé épülnek új házak. – Ezzel el is hallgattam, és hagytam, hogy a kísértés tegye a dolgát. Mrs. Healy is elcsendesedett, aztán körbenézett a konyhájában. Lepattogzott festék, lógó sarokvasak, dohos levegő.

A teáskanna fütyülni kezdett.

– Meg kell beszélnem a férjemmel – mondta.

A futó még a dobás előtt becsúszott a harmadik bázisra. *Megvan!* Még harminc méter. Semmi garancia, de eddig jól haladunk. Igazából veszett jól, ahogy ezeken a nyirkos kis szigeteken szokás mondani. Jókedvűen utaztunk a Mercedesben viszszafelé.

A bonyodalom az Európa Hotel előcsarnokában várt ránk egy láthatóan helyi férfi képében. Ötven körüli lehetett, olcsó öltönyt viselt, és régen szerzett vágások meg sebhelyek tarkították a kézfejét. Korábban terepen dolgozott, semmi kétség, jó pár évet lenyomott, de most a kora miatt íróasztal mögé kényszerült. Ismerős típus. Mintha csak tükörbe néznék.

– Beszélhetnénk? – szólított meg bennünket.

Bementünk a bárba, ami lehangolóan üres volt így az ebédidő rohama előtt. A férfi belfasti zsaruként mutatkozott be.

Az alakulatát nem jelölte meg konkrétabban, de úgy tippeltem, hogy a Különleges Egységtől jöhetett, vagyis a régi Északír Királyi Rendőrség, ma Északír Rendőrkapitányság keményvonalas részlegének tagja lehetett. Mint az FBI, csak kesztyűk nélkül.

– Megtennék, hogy elárulják, kik maguk, és miért vannak itt? – kezdte.

Carter előadta neki az Edmund Wall-dumát a rajongói klubbal és a szülőházzal, de ami délelőtt még bevált, a rideg nappali fényben már nem hangzott olyan remekül. A fazon leellenőrzött néhány dolgot a telefonján, miközben Carter beszélt, majd sorolni kezdte:

– Négy dolog nem stimmel a sztoriban. Edmund Wall nem létezik, ahogy a rajongói klub sem. A bankszámlát egy olyan bankfiókban nyitotta, ami Langley-hez, vagyis a CIA főhadiszállásához esik közel, és mindenekelőtt a szóban forgó ház korábban Gerald McCann otthona volt, aki egy félkatonai szervezet tagjaként volt ismert a maga idejében.

Sem Carter, sem én nem szóltunk egy szót sem.

– Észak-Írország – folytatta a férfi – az Egyesült Királyság része, mint tudják. Nem folytathatnak be nem jelentett tevékenységet más pályáján. Úgyhogy volnának kedvesek elárulni, kik maguk, és miért vannak itt?

– Érdekelné egy üzlet?

– Miféle?

– Szeretne magas körökből barátot szerezni magának?

– Mennyire magas körökből?

– Nagyon magas körökből.

– Honnan?

– Olyan helyről, ami hasznos az ön kormányának.

– Mik a feltételek?

– Először is hagyja, hogy befejezzük a melót!

– Kit nyírnak ki?

– Senkit. A Healy család kap egy új házat. Ennyi az egész.

– És maguk mit kapnak?

– Fizetést. A maga magas körökből származó új barátja viszont megnyugvást nyer, amiért ehhez mérten kellőképpen hálás lesz, ebben egészen biztos vagyok.

– Részletezze!

– Először is meg kell bizonyosodnom arról, hogy maga okosan viselkedik. Ez nem az a helyzet, amikor felhívhat pár embert, és bevonhatja őket is. Ezúttal hagynia kell, hogy végezzük a dolgunkat, és amikor mi felszívódtunk, bejelentheti az új kontaktját mint személyes szerzeményt. Vagy esetleg megtarthatja ezt az ütőképes kártyát a mellényzsebében a későbbiekre.

– Hány törvényt fognak megszegni?

– Egyet sem. Veszünk egy házat. Mindennap megesik az ilyen.

– Mert van ott bent valami, ugye? Mit hagyott hátra Gerald McCann?

– Bele kell egyeznie abba, amit az imént mondtam. Legalább biccentsen! Valahogy meg kell bíznom magában.

– Oké, beleegyezem – mondta a pasas. – De végig magukkal tartok. Mostantól hármasban dolgozunk, amíg nem végeznek. Minden percben. Amíg el nem búcsúzom maguktól a reptéren.

– Jöjjön maga is velünk! Mit szól? – mondtam. – Találkozhat az új barátjával. Legalább rázzon kezet vele! Aztán visszajön. Mellényzseb vagy sem, így biztosan jobban fogja magát érezni.

Bevette. Tudtam, hogy be fogja. Még jó hogy! A biztonságiak imádják a magánakciókat. Imádják a mellényzsebeiket. Imádják irányítani az embereket. Imádnak valakik lenni.

– Áll az alku – mondta. – Mi a sztori?

– Volt egyszer egy fiatal tiszt, aki az amerikai hadseregnél szolgált. Ez a kissé forrófejű, bizonyos szimpátiákkal és egy bizonyos időben bizonyos munkával rendelkező ifjú eladott egy elavult fegyvert.

– Gerald McCann-nak?

Bólintottam.

– Aki, már amennyire tudjuk, sosem használta azt. Aki, úgy hisszük, elrejtette a nappalija padlója alá. Közben a mi fiatal tisztünk kinőtte magát, előléptették, így teljesen más irányt vett a karrierje. Most szeretné, ha ezt a szálat elvarrnánk.

- Azért akarják megvenni a házat, hogy felássák a padlót?

Ismét bólintottam.

- Úgy nem megoldható, hogy csak egyszerűen betörünk. Túl hangos lenne. A padló betonból van. Légkalapácsra lesz szükség. A szomszédoknak azt kell hinniük, hogy felújítjuk a vezetékeket, vagy ilyesmi.

- Ezek a fegyverek még lenyomozhatók?

- Fegyver, egyes számban, hogy tisztázzuk. Ezen a ponton már mindegy, ha őszinték vagyunk egymással. Még lenyomozható, igen. És végtelenül kínos lenne, ha napvilágra kerülne a létezése.

- Mrs. Healy elhitte, amit Edmund Wallról mondtak neki?

- Elhitte, amit a pénzről mondtunk. Végtére is Amerikából jöttünk.

- Sokáig tart megvenni egy házat – mondta a fazon a Különleges Egységtől.

Három hétig tartott mindenféle ügyvédi macerával és az állapotfelméréssel együtt, ami csak bábszínház és komédia volt, mert miért is érdekelt volna bennünket a ház állapota? De gyanús lett volna, ha kihagyjuk. Elvégre mi voltunk a rajongói klub ügybuzgó vagyonkezelői. Szóval megrendeltük, és úgy tettünk, mintha el is olvastuk volna, amikor elkészült. Elég lehangoló volt amúgy. Egy pillanat erejéig el is fogott az aggodalom, hogy a légkalapács a földig fogja rombolni az egész kócerájt.

A három hét alatt végig Belfastban maradtunk. Rendes körülmények között hazamentünk volna, és újra vissza három hét múlva, de a Különleges Egységtől érkezett zsaruval a nyakunkon ez nem volt lehetséges persze. Minden pillanatban figyelnünk kellett rá. Ami nem volt túl nehéz, hiszen neki is ugyanezt kellett tennie. Három teljes hetet töltöttünk egymást bámulva, és közben hülyeségeket olvastunk a nedvesedő falakról és a száraz penészről, bármi legyen is az. Mindennap esett.

De végül az ügyvédek elintéztek mindent, és kaptam egy szenvtelen telefonhívást arról, hogy a ház a miénk. Felvettük a kulcsokat, átkocsikáztunk, és aggódó arccal mászkáltunk körbe, kezünkben az állapotfelmérés papírjaival, csak hogy megteremtsük a hangulatot. A légkalapácsot meg kell tudni magyarázni, a szomszédok pedig pokolian kíváncsiak voltak. Kukucskáltak, és tömegével jöttek át bemutatkozni. Áthozták Mrs. McKenna idős húgát is, aki váltig állította, hogy emlékszik a baba születésére, amivel rosszalló fejrázások és hangok sorát váltotta ki a közönségéből. Még többen jöttek. Emiatt két napot vártunk a légkalapács kikölcsönzésével. Gondoltuk, jobb így, mint ha azonnal nekilátnánk. Tudtam, hogy kell bánni a légkalapáccsal. Vettem leckéket a Langley biztonsági szobáját felújító csapattól.

A nappali padlója tényleg beton volt, aszfalt talajkiegyenlítő volt rajta, azon pedig egy habszivacs aljú padlószőnyeg. Már annyira régi volt, hogy teljesen összetömörödött és megkérgesedett. Feltéptük, és láttuk, hogy alatta az aszfaltréteg egy foltban eltért a többi résztől. Stimmelt a méret is. Elmosolyodtam. Gerald McKann gondoskodott az üzletről.

– Pontosan mi történt McKann-nal? – kérdeztem.

– Meggyilkolták – jött a válasz a különleges egységes fazontól.

– Kicsoda?

– Mi.

– Mikor?

– Nyilvánvalóan még azelőtt, hogy ezt tudta volna használni, bármi legyen is ez.

Ezek után beszélgetni már esélytelen volt, mert beindítottam a kalapácsot. Innen a munka már gyorsan ment. A betonban túl sok volt a homok, és kevés a cement. Régen is így ment ez. A beton piszkos egy üzlet. De a gödör még így is meglehetősen mély volt. Nem csak átmeneti tárolásra tervezték. Úgy tűnt, időállóbbnak készült. Végül lejutottunk az aljára, és kihúztuk azt a bizonyos dolgot.

A súlyos műanyag csomagolás ellenére is azonnal felismerhető volt. Egy merevített, olívazöld vászontáska, akkora, mint egy fél olajoshordó, mindenhol szíjak és csatok tarkították, szorosan lezárták, és hordozhatóvá tették. Olyan volt, mint egy hátizsák. Egy nagy és súlyos hátizsák.

A fazon a Különleges Egységtől mély csendbe burkolózott, majd azt kérdezte:

– Ez az, amire gondolok?

– Igen, ez az, amire gondol.

– Jézus Krisztus!

– Ne aggódjon! A robbanófej nem éles, mert a mi egyenruhásunk éles eszű volt.

– Robbanófej? – kérdezte Carter. – Mi ez?

Én hallgattam, a különleges egységes fazon fogott magyarázatba:

– Ez egy SADM. Egy W54-es egy H–912-es hordozóegységben.

– Vagyis micsoda?

– Egy stratégiai nukleáris rombolóegység. A W54-es robbanófejet, amely csupán kistesója a többinek, átalakították bomba üzemmódra. Odaszíjazod egy híd lábához, és nagyjából olyan hatást érsz el vele, mintha ezertonnányi dinamitot dobtál volna le rá.

– Nukleáris?

– Alig huszonöt kiló – mondtam. – Nem nehezebb, mint a táskád, ha nyaralni mész. Semmi nem hasonlít ennél jobban egy bőröndatombombához.

– Nem csak hasonlít, ez az. Ez egy bőröndatombomba – mondta a fazon a Különleges Egységtől.

– Sosem hallottam még róla – csodálkozott Carter.

– Az 1950-es években fejlesztették ki. 1970-re el is tűntek. Félkatonai csapatokat képeztek ki arra, hogy ezzel a hátukon a harcvonalak mögé ejtőernyőzve erőműveket és gátakat robbantsanak fel.

– Atombombákkal?

– Mechanikus időzítőjük volt. Addigra a katonák kellő távolságra kerülhettek tőle.

– Kerülhettek?

– Kemény világ volt akkoriban.

– De ez a robbanófej nem igazi?

– Nyisd fel, és nézd meg te magad!

– Én nem tudom megkülönböztetni a kettőt.

– Hát igen – mondtam. – Nyilvánvaló, hogy Gerald McKann sem tudta.

– Már értem – szólalt meg ismét a fazon a Különleges Egységtől –, hogy miért akarja az én újdonsült barátom elvarrni a szálakat. Atomfegyvert eladni külföldi félkatonai csoportoknak? Ezt nem úszhatná meg, akárki is ő.

Beraktuk a cuccot egy bérelt kocsi csomagtartójába, és a Belfasti Nemzetközi Repülőtér egyik csendes sarkához hajtottunk, az *Általános légi közlekedés* feliratú kapuhoz, ahonnan magánrepülők indultak útnak. Ott megtaláltuk a miénket, egy szürkére festett, a lajstromszámát leszámítva jelöletlen Gulfstream IV-t. A fazon a Különleges Egységtől kicsit irigyen nézett.

– Csak kölcsönbe van – mondtam. – Főként kiadatásos vallatásoknál használják.

Erre kissé aggodalmas képet vágott.

– Biztos vagyok benne, hogy a vért kislagozták belőle – tettem hozzá.

Mi magunk cipeltük a fegyvert a fedélzetre, mert a pilótán kívül nem volt legénység a gépen, aki segíthetett volna nekünk. Standard eljárás a kiadatásoknál. Így könnyebb letagadni. Úgy ítéltük meg, hogy a fegyver mérete egy nagyobb darab férfiének felel meg, ezért álló helyzetben becsatoltuk egy ülésbe, mi hárman pedig a lehető legtávolabb ültünk le tőle.

Kilencven perccel később kimentem a mosdóba, majd miután ismét leültem a helyemre, visszatereltem a szót a kiadatásokra.

– Ezeket a gépeket átalakítják, tudja – mondtam. – Bizonyos beépített elektronikus zárakat kivesznek. Így például ki lehet nyitni az ajtót repülés közben, mialatt lassan és alacsonyan a víz fölött haladunk. Azzal szokták megfenyegetni a rabot, hogy kidobják a gépből. Ez mind a puhítás része, már időben elkezdik. Aztán folytattam:

– Valójában néha tényleg kidobják a rabot. Általában hazafelé, amikor már köpött. Minden egyéb alapvetően túl sok gonddal járna.

Még mindig nem fejeztem be:

– Épp ezt fogjuk tenni a fegyverrel. Muszáj. Leszállás előtt sehogyan sem tudjuk megsemmisíteni, és nem bukkanhat fel csak úgy ismét amerikai területen, mintha épp most szökött volna meg egy múzeumból. Ráadásul ez a tökéletes felállás ennek a bizonyításához. Merthogy hárman vagyunk, ő pedig ki fog kérdezni bennünket. Biztosra kell mennie. Így viszont én megesküdhetek arra, hogy láttam, ahogy maguk ketten kihajították a gépből, maguk ketten pedig megesküdhetnek arra, hogy látták, ahogy a vízbe csapódik, és arra is, hogy én figyeltem, ahogy maguk végrehajtották a műveletet. Három oldalról is igazolni tudjuk egymást.

És ennek így volt is értelme, úgyhogy lassítva lejjebb ereszkedtünk, és én kinyitottam az ajtót. Jéghideg, sós levegő süvített be a gépbe, ami közben remegett és rázkódott. Én hátrébb léptem, és a különleges egységes fazon indult el először az ülések között oldalazva, a régi vágásokkal és sebhelyekkel tarkított bal kezében a szállítóegység egyik szíját tartva. Utána jött a fegyver maga, úgy hintázott jobbra-balra, mint egy kövér ember a függőágyban. Végül Carter követte, jobb kezében az egyik szíjjal, oldalazva.

Felsorakoztak egymás mellé a nyitott ajtónál, háttal nekem, egyik alkarjukkal mindketten az ajtónyílás szélének támaszkodtak, így próbálták egyensúlyban tartani magukat, miközben a fegyver lomhán hintázva ütögette a padlót kettejük között.

– Háromra – mondtam, és elkezdtem hangosan számolni. Ők megemelték a hengert, és elkezdték hintáztatni, majd háromra elengedték a vászonszíjakat, a henger pedig kirepült a levegőbe, és azonnal elkapta az oldaláramlás. Alkarjukkal még mindig az ajtónyílás szélének támaszkodva, nyakukat nyújtogatva néztek ki a gépből a henger után, várták a csobbanást, én pedig elővettem a fegyvert, amelyet korábban a mosdóból hoztam ki, és a háta alsó részén lőttem meg a különleges egységes fazont. Nem valami szadista indíttatásból, hanem egyszerű ballisztikai okokból. Nem akartam, hogy az üres levegő helyett esetleg a repülőgépet találja el a lövedék, ha átmegy a pasason.

Azt hiszem, a golyó nem ölte meg. De a sokk megtette a hatását. Elgyengült, az alkarja elengedett, és magába szippantotta az örvény. Hangot nem adott ki. Bucskázott a levegőben, ahogy a légáramlatok elkapták, aztán egyre kisebb ponttá vált, mielőtt apró loccsanással beleolvadt az alattunk lévő kékségbe, és már nem lehetett kivenni a millió fehér csipkés szélű hullám között.

Odaléptem, hogy segítsek Carternek visszazárni az ajtót.

– Gondolom, túl sokat tudott – mondta.

– Túlságosan sokat – feleltem.

Leültünk egymás mellé.

Carternek nem kellett egy óra sem, hogy rájöjjön. Nem volt egy buta fickó.

– Ha a robbanófej nem volt igazi – kezdte –, akkor csapdaként is használhatta volna az eladó, mondjuk, ha egy komoly ellenfelet akar kicsinálni. Vagy egy gazdasági háborúban, mint valami Robin Hood. Egy halom rossz pénzt vonhatott volna ki így a forgalomból egy használhatatlan darab szemétért cserébe. Ő lehetett volna a titkos, szuperszerény hős.

– De? – kérdeztem.

– Nem erre hajtott. És az a sok ember, aki mind rákban halt meg: Robinsonék, Donnellyék, McLaughlinék.

– És? – kérdeztem.

– A robbanófej igazi volt. Ez egy valódi atombomba volt. Ez az ember nukleáris fegyvereket adott el.

– Kicsiket – tettem hozzá. – És elavultakat.

Carter nem válaszolt. De nem ez volt a fontos rész, az öt perc múlva jött. Láttam, ahogy a tekintetében megcsillan a felismerés.

– Tedd fel a kérdést! – mondtam.

– Inkább nem – felelte.

– Tedd fel a kérdést! – ismételtem.

– Miért volt pisztoly a mosdóban? A fazon a Különleges Egységtől végig velünk volt. Nem hívtál fel senkit, hogy előre kérj egyet, nem volt rá alkalmad. Mégis ott volt a mosdóban. Miért?

Nem feleltem.

– Nekem szántad. A fazon a Különleges Egységtől csak véletlen volt. Engem terveztél lelőni egész idő alatt.

– Kölyök, a főnökünk működő atomfegyvereket árult, utána takarítok. Mi másra számítottál?

– Bennem megbízik – jelentette ki Carter.

– Nem, nem bízik benned.

– Sosem árulnám el őt. Ő az én hősöm.

– Gerald McKann-nak kellene a hősödnek lennie. Neki volt annyi esze, hogy ne használja azt az átkozott vacakot. Biztos vagyok benne, hogy fájdalmas volt ellenállnia a kísértésnek.

Carter erre nem felelt. Nehéz volt megszabadulni tőle teljesen egyedül, de a következő néhány óra nyugodtan telt, csak én és a pilóta, magasan a felhők között, egy látványos naplemente felé tartva. Hátradöntöttem az ülésemet, és kinyújtóztam. A pihenés fontos. Az élet rövid és bizonytalan, és megéri mindenből a legjobbat kihozni, bármi is sodródjon az utadba.

Ami igazából történt

Kifejezetten jó érzésekkel jöttem ki a bíróságról a tanúvallomásom után. Rövid és célratörő válaszokat adtam. Kézben tartottam a dolgokat. Semmit nem mondtam, amit nem kellett volna. Egy régi trükköt alkalmaztam, amelyet egyszer valaki tanított nekem. Számolj fejben háromig, mielőtt válaszolsz egy kérdésre! Neve? *Egy, kettő, három.* Albert Anthony Jackson. A trükk csökkenti az elsietett és megfontolatlan válaszok esélyét. Mert így van időd gondolkodni. Persze őket az őrületbe kergeti, de nem tudnak mit tenni ellene. Az nem szerepel az esküben, hogy „az igazat, csakis az igazat, a színtiszta igazat, három másodpercen belül, amint az ellenfél ügyvédje befejezte az ugatást". Próbáld ki! Egy nap még kihúzza a seggedet a csávából. Mert előfordul, hogy a meggondolatlan válasz nagyon csábító. Ahogyan ma délelőtt az én esetemben is az volt. Az ügyvezető bírónak egyértelmű volt a szándéka. A legelső érdemi kérdés így hangzott a szájából:

– Miért nem tagja a hadseregnek?

Mintha gyáva lennék, vagy morálisan degenerált. Gondolom, azért, hogy a szavahihetőségemet kétségbe lehessen vonni, amennyiben szükséges, ha a tanúvallomásom valaha is napvilágra kerülne.

– Falábam van – feleltem.

Ami igaz volt. Nem Pearl Harbor vagy valami hasonló miatt. Bár nem szoktam helyesbíteni a feltételezést. Igazság szerint egy Ford T-modell ütött el Mississippi államban. Keskeny fakerék, kemény gumi, szilánkosra tört lábszárcsont, vidéki orvos, kilométerekre bármitől. A könnyebbik utat választotta, térd alatt amputálta a lábam. Nem nagy ügy. Csakhogy a hadsereg már nem kért belőlem. Ahogyan a tengerészet sem. Viszont mindenki mást elvittek, ami azt jelentette, hogy 1942 nyarára az FBI már bárkit felvett. A lábam nem zavarta őket. Juharfa, mint a baseballütők. Nem mintha kérdezték volna. Kiképeztek, aztán kaptam egy jelvényt és egy fegyvert, majd kiküldtek a nagyvilágba. Szóval egy évvel később szolgálatba álltam. Mégis lett fegyverem, még ha nem is a fegyveres erőknél. De a pasas így sem adott esélyt.

– Sajnálattal hallom, hogy ilyen szerencsétlenül járt – mondta rosszallóan, vádló hangon, mintha én lettem volna óvatlan, vagy mintha előre kiterveltem volna az egészet, hogy így kerüljem el a besorozást. De ezután már jól kijöttünk egymással. Nagyjából tartotta magát a nyomozással kapcsolatos ügyrendi kérdésekhez. *Egy, kettő, három.* Mindre válaszoltam, és háromnegyed tizenkettőkor már kint is voltam a tárgyalóteremből. Elég jól éreztem magam, ahogy már említettem, egészen addig, amíg Vanderbilt el nem kapott a folyosón, és nem szólt, hogy még egyet végig kell csinálnom.

– Egy másik mit? – kérdeztem.

– Egy másik vallomást – mondta. – Bár ez nem valódi. Semmi eskü, semmi mellédumálás. Szigorúan csak a saját aktáinkba kerül be, hivatalosan nem lesz iktatva.

– Tényleg azt akarjuk, hogy a mi aktáink különbözzenek az övéiktől? – kérdeztem.

– A döntés már megszületett – mondta Vanderbilt. – Azt akarják, hogy rögzítsük az igazságot valahol.

Elvitt egy másik szobába, ahol húsz percet vártunk, aztán bejött egy gyorsíró, készen arra, hogy jegyzeteljen. Nagydarab, keménykötésű nő. Talán harminc körüli, rézszőke hajú, aki sejtésem szerint jól nézhet ki fürdőruhában. Nem volt valami beszédes. Aztán megérkezett Slaughter. Vanderbilt főnöke. Azt állította, hogy rokona Enos Slaughternek a St. Louis Cardinalsból, de senki nem hitt neki.

Mindannyian leültünk, és Slaughter megvárta, amíg a keménykötésű felemelte a ceruzáját, majd azt mondta:

– Oké, jöhet a sztori.

– A teljes verzió? – kérdeztem.

– Belső használatra.

– Mr. Hopper ötlete volt – kezdtem. Érdemes már az elején tisztázni, ki tehet az egészről.

– Ez nem boszorkányüldözés – mondta Slaughter. – Kezdd az elején! A neveddel, hogy fennmaradjon az utókornak. *Egy, kettő, három.*

– Albert Anthony Jackson – mondtam.

– Rang.

– Különleges FBI-ügynök vagyok, a feladat idejére átmenetileg elkülönítve.

– Hová?

– Ide, ahol most vagyunk – mondtam.

– Ami micsoda?

– A projekt – feleltem.

– Mondd ki a nevét a félreértések elkerülése végett!

– Az Anyagfejlesztő Csoport.

– Az új nevét.

– Azt ki szabad egyáltalán mondanunk?

– Nyugodj meg, Jackson, kérlek! – mondta Slaughter. – Barátok között vagy. Nem eskü alatt vallasz. Nem kell aláírnod semmit. Csak a történetet szeretnénk hallani.

– Miért?

– Nem leszünk örökké mi a kedvencek. Előbb vagy utóbb ellenünk fordulnak majd.

– Miért tennék?

– Mert meg fogjuk nekik nyerni ezt. És nem szeretnek osztozni a rivaldafényen – mondta Vanderbilt.

– Értem – feleltem.

– Szóval fel kell készülnünk a saját verziónkkal. Mondd ki a projekt teljes nevét! – kérte újra.

– Manhattan-terv – feleltem.

– A feladatod?

– Biztonság.

– Sikerült megoldani?

– Eddig igen.

– Mit kell csinálnod? Mit kért Mr. Hopper?

– Először semmit – mondtam. – Rutinszerűen indult. Szükségük volt egy másik épületre. Tennesseeben épült. Rengeteg beton, rengeteg különleges mérnök. A költségvetés kétszázmillió dollár. Kellett nekik valaki, aki összefogja az egészet. Az én dolgom volt az átvilágítás.

– Mondd el nekünk, ez mit jelent!

– Kényes dolgok után kutatunk a magánéletükben, és gyanús dolgokat keresünk a politikai nézeteiket illetően.

– Miért?

– Mert nem szeretnénk, hogy zsarolhatóak legyenek, és azt mégannyira sem szeretnénk, hogy csak úgy ingyen kiadjanak titkokat.

– Ez alkalommal ki volt a nyomozás alanya?

– Egy Sherman Bryon nevű férfi. Szerkezeti mérnök. Egy idősebb fazon, de azért még meg tudott oldani ezt-azt. Az volt az ötlet, hogy ezredest csinálunk belőle a seregben, és munkába állítjuk. Persze csak ha tiszta.

– És az volt?

– Elsőre annak tűnt. Egy vasbeton hajókról szóló találkozón néztem meg magamnak. Szeretem először alaposan megfigyelni az alanyt a távolból, amikor semmit nem sejt. Magas, jól öltözött férfi ezüst hajjal és bajusszal. Idősebb létére is egyenesen tartja magát. Az a fajta, aki minden bizonnyal választékosan beszél. Előkelő, így mondják. Papíron nem találtunk semmit. Roosevelt ellen szavazott mindháromszor, de nekünk ez tetszik, hivatalosan. Hiszen akkor nincsenek balos szimpátiái. Ez azt jelenti, hogy már szinte fel is van véve. Nem voltak pénzügyi gondjai vagy szakmai botrányai. Egyetlen általa tervezett épület sem omlott még össze.

– De?

– A következő lépés az volt, hogy beszéltünk a barátaival. Vagyis inkább meghallgattuk, miket mondanak, és miket nem.

– És mit hallottatok?

– Kezdetben nem sokat. Az ilyen emberek nagyon diszkrétek, nagyon illemtudók. Úgy beszéltek velem, mint ahogyan a postással tennék. Udvariasak voltak, és tudtam, hogy így nincs esélyem. Én egy komoly és hasznos szervezetnek dolgozom, de ők mégsem voltak hajlandóak bizalmas adatokat megosztani.

– Ezt hogy szoktátok megoldani?

– Részben elmondjuk az igazat. De nem teljes egészében. Utalok rá, hogy szigorúan titkos projektről van szó. Háborús munka, nemzetbiztonság. Hozzátettem, hogy itt a betonhajók életbe vágóan fontosak. Azt mondtam nekik, hogy bizalmas adatokat megosztani manapság hazafias kötelesség.

– És?

– Erre némileg közlékenyebbek lettek. Szeretik és tisztelik a fazont. Üzleti téren mindig tisztességes. Fizeti a számláit, jól bánik az alkalmazottaival. Nagyon sikeres a felsőbb körökben.

– Ezek szerint minden stimmelt.

– Volt valami, amit senki nem említett. Muszáj volt egy kis nyomást gyakorolnom.

– És?

– Az öreg Sherman házas, de keringtek történetek egy kis nőcskéről a közelében. Egyértelműen látták vele.

– Ezt zsarolási potenciálként értékelted?

– Bementem Mr. Hopperhez – mondtam.

– Aki ki is? Csak az utókor kedvéért.

– A főnököm, a biztonságiak igazgatója. Nagy döntés volt ez. Mr. Hoppernek különösen tetszett, hogy felsőbb körökben mozog az illető. Azon gondolkodott, hogy nem is ezredest, hanem dandártábornokot csinál belőle. Pontosan ilyen típusú emberre volt szükségünk. Nagy lépés lett volna beszervezni.

– Mr. Hopper látott esélyt a zsarolhatóságra?

– Nem igazán. De hol húzzuk meg a határt?

– Te tettél javaslatot Mr. Hoppernek mellette vagy ellene?

– Én azt mondtam, hogy gyűjtsünk még információt, ne csupán pletykákra alapozva hozzunk meg egy ekkora döntést.

– Mr. Hopper megfogadta a tanácsodat?

– Talán. Nem egy beképzelt alak. Meg szokott hallgatni mindannyiunkat. De az is lehet, hogy alapból egyetértett velem, vagy csak utálja, amikor neki kell bemennie egy megbeszélésre, és megakasztania a dolgokat. Talán még halogatni akarta. Bármelyik is volt az ok, azt mondta, több információt kér.

– Hogy indultál neki?

– Az első három nap semmit nem tudtam haladni. Az öreg Sherman egyetlen nőjével sem találkozott. Bennragadt egy betonhajókról szóló konferencián. Szerinted ezek tényleg működhetnek?

– Szerintem? – kérdezett vissza Slaughter. – A betonhajók?

– Nekem elég buta ötletnek tűnik.

– Nem vagyok tengerészeti szakértő.

– Ez nem olyan, mint az acéllemez. Biztos nagyon vastagra kell önteni.

– Maradhatnánk a tárgynál?

– Elnézést. Szóval a pasas egy hajókonferencián volt. Keményen dolgozott. Nem ágyban töltötte a napot. De Mr. Hopper a saját szemével akart meggyőzödni róla. Nagyon tetszett neki a fazon. Mármint a munka miatt, úgy értem. Nem akarta, hogy bármiféle kétely maradjon bennünk, úgyhogy várnunk kellett.

– Meddig?

– Megmozgattunk néhány szálat, főleg hoteleknél. Kaptunk is egy hívást az egyikből, hogy az öreg Sherman kétszemélyes szobát foglalt péntek estére. A maga és a felesége nevére. Amit persze senki nem hitt el. Minek hotelszobát foglalni? Van egy házuk. Úgyhogy Mr. Hopper összerakott egy tervet.

– Vagyis?

– Először elmentünk megnézni a hotelt. Mr. Hopper az előcsarnokban akarta levezényelni a dolgot. Úgy érezte, a hálószoba nem alkalmas egy ilyen pasas esetében. Úgyhogy felmértük a terepet. Az előcsarnokban szürke bársony karosszékek voltak, három az egyik oldalon, és kettő a másikon. A súlyos recepcióspultot tölgyfából faragták. A reggelizőhelyiségbe egy függönyözött átjáró nyílt. Mr. Hopper már ki is találta, hogyan csinálja. Volt ott egy ablak, az ajtótól jobbra. Ha valaki lábujjhegyre állt, belátott az utcáról. Ami jó lehetett volna, de mégsem. Nem tölthet órákat azzal, hogy befelé kukucskál az ablakon az utcáról. A járókelők rendőrt hívnának. Jól kell időzítenie. Nem tudta, hogyan legyen.

– Mit talált ki a problémára?

– Ő semmit. Én javasoltam, hogy átveszem a recepciós szerepét néhány napra. Mint egy beépített ügynök. Úgy gondoltam, nem lesz sok dolgom, és az idő nagy részében megbújhatok a lámpaernyő mögött. Senki nem fog rám figyelni. Gondoltam, így majd villogtathatok egyet a kinti neonfénnyel, amikor itt az idő, hogy Mr. Hopper bekukkantson. A kapcsoló épp ott van a pultnál.

– Az volt az ötleted, hogy riasztod őt, amikor ezek ketten együtt bejelentkeznek?

– Úgy véltük, így két legyet ütünk egy csapásra. Ő láthatja, amit akart, én pedig közelről, személyesen megnézhetném magamnak a barátnőt, amint feleségként bejelentkezik. Mr. Hopper egyáltalán nem volt boldog, mert tetszett neki a fickó, ahogy már említettem, de valahol meg kellett húznia a határt. Ez egy nagyon fontos projekt.

– Működött a terv?

– Nem – feleltem. – A nő tényleg a felesége volt. Megmutatta nekem a jogosítványát csak úgy magától. Gondolom, sokat utazik a férjével. Az összes betonhajós biztonsági konferenciára. Úgyhogy gondolkodás nélkül vette elő az igazolványát. A név is stimmelt, és a fotó is.

– Szóval mit csináltatok?

– Semmit. Tovább játszottam, hogy én vagyok a recepciós. Aztán megcsörrent a telefon. Mr. Hopper hívott az utca túloldaról, egy fülkéből. Sürgős volt. Kaptunk egy fülest, hogy a másik nő is a hotel felé tart. Épp akkor! Mr. Hopper utasított, hogy maradjak még a helyemen. Úgy volt, hogy valahogy lehívom az öreg

Shermant a hallba. Azt gondoltam, hogy ez nem jelent majd gondot. Az öreg nem akarja majd, hogy felküldjem a hölgyet, hiszen a felesége ott van a szobában.

– Megérkezett a nő?

– Olyan volt, mint azokban az ütődött vígjátékokban. Hallom, ahogy a lift, amely közöttem és a reggelizőhelyiség között helyezkedik el, jön lefelé. Kinyílik a liftajtó, és kilép az öreg Sherman, kezében a felesége bundás stólája. Aztán mögötte kilép a feleség is kék ruhában, egy magazinnal a kezében. Az egyik felem még ügynök üzemmódban van, a másik viszont azt súgja: „Ugyan, haver, most azonnal tűnj el innen, mielőtt még túl késő lesz!" De a feleség leül az egyik székre, éppen velem szemben. Elkezdi olvasgatni a magazinját. Az öreg Sherman csak úgy ácsorog, két lépésre a lifttől. Ekkor én már a lámpaernyő mögött bujkálok. Aztán besétál a másik nő. Bundakabát, bundás kalap, piros ruha. Egy idősebb nő. Shermannel egykorú. Lehajol, és arcon csókolja a feleséget, aztán odasétál Shermanhoz, és ugyanígy tesz. Nekem meg csak azon kattog az agyam, mi a fene folyik itt. Édes hármas? Az még rosszabb lenne.

– És aztán mi történt?

– A másik nő leült, a feleség pedig folytatta az olvasást. Aztán a másik nő felnézett, és mondott valamit Shermannek. Udvarias beszélgetés következett. Felvillantottam a neont, és láttam, ahogy Mr. Hopper bepillant az ablakon. Látott mindent. Emlékszik minden részletre. Még a hegyi tóról készült festményre is a falon. De ő sem értette, mi folyik itt. Fogalma sem volt, mi lehet ez a jelenet.

– Mit csinált?

– Lehúzódott, és a járdán várt. Az öreg Sherman a feleségével együtt elhagyta a hotelt. A másik nő ott maradt, és megkért engem, hogy hívjak neki egy taxit. Kezembe vettem a dolgot, és felmutattam neki a jelvényemet, aztán előadtam neki ugyanazt, amit Sherman barátainak. Nemzetbiztonság és miegyéb. Feltettem neki néhány kérdést.

– És?

– Ő Sherman anyósa. Két évvel fiatalabb, mint az öreg, de hát a világ már csak ilyen. Az öreg Sherman nagyon boldog a fiatal feleségével. A fiatal feleség is boldog Sherman oldalán. Az anyós is örül a boldogságuknak. Egy hónapra jött látogatóba, és a veje körbeviszi a városban. Az anyós szerint nagyon édes tőle, hogy időt szán rá. Szerintünk azért csinálja, hogy a kedvében járjon a feleségének, aki megéri a kedveskedést. Főképpen egy ilyen öreg fazon esetében. Azért voltak a hotelben, és nem a házukban, mert korán indult a vonatuk. Úgyhogy a pániknak vége. Rengeteg férfi vesz feleségül fiatal nőt. Ez nem törvényellenes. Mr. Hopper szerint Sherman alkalmas a munkára, és már Tennesseeben van, épp most kezd.

Slaughter várt egy hosszú pillanatot, aztán megszólalt:

– Oké, azt hiszem, minden megvan, ami kell. Köszi, Jackson.

Így aztán aznap másodjára jöttem ki azzal az érzéssel egy vallomástételről, hogy jól ment. Nem mondtam semmit, amit nem akartam. Az igazság bizonyos darabjai lejegyzésre kerültek. Mindenki boldog volt. Végül megnyertük nekik. Aztán ellenünk fordultak. De az öreg Sherman Bryon addigra már halott volt, úgyhogy nem számított.

Pierre, Lucien és én

Az első szívrohamomat túléltem. De amint annyira jól lettem, hogy fel tudtam ülni az ágyban, az orvos visszajött, és elmondta, hogy egészen biztosan lesz második is. Csak idő kérdése, mondta. Az első esemény jelezte, hogy komoly, rejtett elégtelenség áll a háttérben, amelyen a roham csak rontott. Lehet még néhány napom, hetem, vagy legfeljebb hónapom. Azt mondta, hogy mostantól betegként tekintsek magamra.

– De hát 1928-at írunk, az isten szerelmére! – mondtam.

– Az emberek képesek a messzi távolból a rádión keresztül beszélni. Nincs erre valami pirula?

Pirula nincs, mondta. Semmit sem lehet tenni. Talán nézzek meg egy színdarabot, és írjak néhány levelet. Azt mondta, az emberek leginkább azt sajnálják, amit nem mondanak ki. Aztán elhagyta a szobámat, én pedig a kórházat. Már negyedik napja vagyok itthon, és nem csinálok semmit, csak várom a második rohamot. Napok, hetek vagy hónapok kérdése. Fogalmam sincsen.

De azóta sem voltam színházban. Még nem. Be kell vallanom, csábító a gondolat. Néha azon tűnődöm, vajon az orvosnak járt-e más is a fejében a szórakozáson kívül. Elképzelem, hogy kiválasztok egy vadonatúj, látványos musicalt tele színekkel és vad izgalommal, és jön a nagy finálé, amikor az egész közönség felpattan, engem is beleértve, és a vastaps közepette érezném, hogy összeszorul a mellkasom, összeesnék, és úgy hullanék a padlóra, mint egy esőkabát, amely lecsúszik a felhajtott színházi ülésről. Ott halnék meg, miközben a mit sem sejtő tömeg toporogna és tapsolna körülöttem. Az utolsó óráimat éneklés és tánc töltené meg. Nem rossz módja a távozásnak. De amilyen a szerencsém, túl hamar bekövetkezne, valami már korábban kiváltaná a rohamot. Mondjuk, amikor feljönnék a metróból a Negyvenkettedik utca járdájára felvezető meredek vaslépcsőn. Elesnék, és hátracsúsznék egy métert a nedves, homokos piszokba, az emberek pedig félrenéznének, és kikerülnének, mintha csak egy hajléktalan lennék. Vagy sikerülne eljutni a színházig, és az erkélyre vezető lépcsőn halnék meg. Már nincs pénzem földszinti jegyet venni. Vagy a lépcsőkorlátba kapaszkodva, kifulladva, szívdobogva feljutnék ugyan a kakasülőre, de akkor dobnám fel a talpam, amikor a zenekar még csak hangol. Az utolsó dolog, amit hallanék, a hegedűhúrok összhangra törekvő siráma lenne. Nem jó. És mindenki más számára is tönkreteheti az egészet. Elhalasztanák az előadást.

Vagyis a mindig is használt szavaimmal élve, amelyek mostanra egyre jobban értelmüket vesztik: talán későbbre halasztanám a show-t.

Levelet sem írtam még. Egyet sem. Tudom, mire akart az orvos kilyukadni. Talán volt, akivel nem szépen váltunk el egymástól. Talán sosem vettük a fáradságot, hogy elmondjuk a másiknak: igazán jó barát vagy, ugye tudod? De én ártatlannak vallanám magam ezeket a vádakat illetően. Egyenes fickó vagyok. Általában sokat beszélek. Az emberek tudják, hogy mit gondolok. Mindenkivel vidám perceket töltöttem utoljára. Nem akarom ezt azzal elrontani, hogy valamiféle morbid búcsúüzenetet küldök nekik.

Miért is írna bárki levelet?

Talán mert lelkiismeret-furdalása van valami miatt.

Ami nekem nincs. Úgy általában. Vagyis alig. Sosem állítanám, hogy feddhetetlen életet éltem, de mindig is szabályok szerint játszottam. A pálya nem lejtett semerre. Ők is csalók voltak mind. Úgyhogy sosem forgolódtam éberen éjszaka. Még most sem fordul elő. Semmi nagy dolgot nem kell rendbe hoznom. És kicsit sem. Semmi nem kísért.

De ha úgy igazán kényszerítenének, talán mondhatnám

a Porterfield gyereket. Ő azért eszembe jut néha. Annak ellenére, hogy ez is tisztán csak üzlet volt, mint mindig. Egy bolond és a pénze. Az ifjú Porterfield bolond volt, és bőven volt pénze. Egy pittsburghi titán fiaként nőtt fel, legalábbis így hívták régen a bulvárlapok az ilyesféléket. Az öreg fazon az acélból szerzett vagyonát olajba fektette, így tett szert még nagyobb vagyonra, és tette a gyerekeit is milliomossá. Mindegyik az Ötödik sugárúton épített házat, és mindegyik akart valamit a falára. Hülye tuskó egytől egyig. Kivéve az enyémet, ő aranyos tuskó volt.

Először kilenc évvel ezelőtt, 1919 végén találkoztam vele. Épp akkor halt meg Renoir Franciaországban. Jött a telegráf odaátról. Akkoriban a Metropolitan Múzeumban dolgoztam, de csak mint rakodó. Nem valami elegáns munka, de reméltem, hogy feljebb küzdöm majd magam. Tudtam dolgokat már akkor is. Egy Angelo nevű olasz srác volt a lakótársam, és éjszakai bárokban akart fellépni. Közben egy olcsó étteremben pincérkedett az értéktőzsde mellett. Egyszer ebédidőben megjelent náluk négy gazdag ficsúr. Szőrmegallérok, bőrcsizmák. Dollármilliók és milliók ott, az asztalnál, élőben. Mindegyik fiatal, mint a hercegek. Angelo hallotta, ahogy az egyik azt magyarázza, mennyivel jobb akkor vásárolni egy művésztől, amikor még él, mert az ára abban a pillanatban meredeken emelkedni fog, amint meghal az illető. Mindig így volt ez. A piac diktál. Kínálat és kereslet. Ráadásul a művész státusza és az őt körbelengő misztikum is azonnal megnő. Válaszképpen egy másik közölte, hogy akkor Renoir esetében mind hagyták a hajót elúszni. A fazon már olvasta a híreket. De a harmadik, akiről később kiderült, hogy ő Porterfield, közbevetette, hogy talán van még idő. A piac talán nem reagál egyik napról a másikra. Talán van valamennyi türelmi idő, mielőtt az árak elindulnak felfelé.

Aztán valamilyen bolond oknál fogva Angelo feltartóztatta Porterfieldet kifelé menet, és azt mondta neki, hogy a lakótársa a Metropolitan Múzeumban dolgozik, és sokat tud Renoirról, szakértője a lehetetlen helyeken lévő festmények felkutatásának.

Amikor Angelo aznap este elmesélte nekem, csak annyit kérdeztem tőle:

– Mi a francért mondtál ilyet?

– Mert barátok vagyunk – felelte. – És mert tehetségesek vagyunk. Te is ezt tetted volna értem. Ha azt hallanád, hogy egy fazon énekest keres, te is mesélnél neki rólam, nem igaz? Te segítesz nekem, én segítek neked. Így haladunk felfelé a ranglétrán a tehetségünk és a szerencse által. Mint ma. A gazdag pasas művészetről beszélt, és te a Metropolitan Múzeumban dolgozol. Melyik rész nem volt igaz?

– Kocsikat pakolok – mondtam erre. – Csak ládákat látok, semmi egyebet.

– Lentről kezded. Dolgozol, hogy felfelé haladj. Ami nem könnyű. Mind tudjuk ezt. Úgyhogy amikor csak lehet, érdemes kihagyni a lépcsőzést, és lifttel menni. Az esély nem sokszor adatik meg. Ez a pasas a tökéletes lehetőség.

– Nem állok készen.

– Sokat tudsz Renoirról.

– Nem eleget.

– Dehogynem – mondta Angelo. – Ismered az irányzatot. Jó szemed van.

Ez nagyvonalú ítélet volt, de úgy véltem, némileg igaz is. Láttam reprodukciókat az újságokban. Általában a régebbi dolgok tetszettek, de mindig próbáltam lépést tartani az újdonságokkal. Meg tudtam különböztetni egy Manet-t egy Monet-tól.

– Mi a legrosszabb, ami történhet? – kérdezte Angelo.

És valóban, a következő nap reggelén egy küldönc a múzeum postázójából kijött a hidegbe, hogy átadjon nekem egy levelet. Kellemes darab volt, vastag papíron, vaskos borítékban. Porterfieldtől jött. Meghívott magához a lehető leghamarabb, amint nekem megfelel, hogy egy fontos ajánlatot megvitassunk.

A lakása tíz tömbbel délebbre, az Ötödik sugárúton volt. A házba bronzkapun keresztül lehetett bejutni, amelyet valószínűleg valami ősi itáliai palotából hozattak Firenzéből. Nagy raktárterű hajón érkezhetett, és talán jöttek vele a megfelelő munkások is. Egy lakáj bevezetett a könyvtárszobába. Porterfield öt perccel később jelent meg. Huszonkét éves volt akkoriban, tele lendülettel és energiával, hatalmas, bugyuta mosollyal a hatalmas rózsaszín képén. Az unokatestvérem régi kiskutyájára emlékeztetett, ami a nagy tappancsaival folyton botladozott és csúszkált. Megvártuk, amíg valaki kávét hozott nekünk, aztán Porterfield elmesélte a türelmi idő teóriáját. Azt mondta, mindig is tetszett neki Renoir, és akart egyet a munkáiból. Vagy kettőt, esetleg hármat. Sokat jelentene neki. Azt akarta, hogy utazzak el Franciaországba, és nézzem meg, mit találok. Pénz nem számít. Adna nekem ajánlólevelet a helyi bankokhoz. Én lennék a beszerző ügynöke. Az első gőzhajóval, másodosztályon már indulhatnék is. Minden felmerülő költségemet állná. Csak beszélt és beszélt. Én meg csak hallgattam és hallgattam. Meglátásom szerint úgy nyolcvan százalékban ugyanolyan volt, mint az öszszes többi gazdag balfék a városban. Neki is túl sok üres fala volt az ebédlőjében. De volt egy olyan érzésem, hogy egy kis része valóban kedvelte Renoirt. Talán több lett volna számára, mint befektetés.

Végül elhallgatott, és én valamilyen buta oknál fogva azt mondtam:

– Rendben, megcsinálom. Most azonnal indulok.

Hat nappal később Párizsban voltam.

Reménytelen volt. Semmit és senkit nem ismertem. Elmentem galériákba szokványos vásárlóként, de a Renoirok ára addigra már az egekben járt. Nem volt türelmi idő. Az első fickónak volt igaza ott, az étteremben, nem Porterfieldnek. De úgy éreztem, kötelességem kitartani. Figyeltem a pletykákat. Néhány kereskedő attól tartott, hogy Renoir gyerekei majd elárasztják a piacot a műtermében talált vásznakkal. Minden bizonnyal számolatlanul sorakozhattak a festmények a falaknak döntve. A műterem egy Cagnes-sur-Mer nevű faluban állt, a Cannes mögötti hegyekben. Cannes egy kis halászkikötő délen, a Földközi-tenger partján. Az ember Cannes-ig el tud jutni vonattal, onnan pedig valószínűleg szamárfogattal tudják továbbvinni.

Elmentem. Miért is ne? A másik választási lehetőségem a haza-út volt, ahol a munkám már biztosan nem várt, hiszen nem kértem engedélyt a távollétre. Úgyhogy felszálltam a hálókocsis vonatra, amely keresztülvitt a forró, napsütötte vidéken. Egy pónifogat vitt fel a hegyekbe. Renoir házához többholdnyi föld is tartozott. Az alacsony kőház gondozott szántók és gyümölcsösök között állt. A festő sok-sok éve sikeres volt, nem az az éhező művészféle. Már nem.

Senki nem volt otthon, kivéve egy fiatalembert, aki azt állította, hogy Renoir jó barátja volt. Azt mondta, Lucien Mignonnak hívják, és hogy ebben a házban él. Azt mondta, ő is művész. Azt mondta, Renoir gyerekei már korábban elmentek, a felesége pedig Nizzában van, egy barátnál.

Beszélt angolul, úgyhogy megkértem, feltétlen adja át őszinte részvétünket a családnak Renoir New York-i csodálói nevében, akik igencsak sokan vannak, és mind szeretnék tudni – tisztán tudományos és szentimentális okokból persze –, hogy hány festmény maradt még a műteremben.

Azt gondoltam, hogy Mignonnak, lévén ő is művész, fontos a bevétel, és válaszolni fog, de nem tette. Legalábbis nem egyenesen. Helyette a saját életéről mesélt. Festő volt, kezdetben Renoir csodálója, aztán barátja, végül állandó kísérője. Mint egy kisöcs. Már tíz éve lakott a házban. Úgy érezte, hogy a korkülönbség ellenére mély kötődés alakult ki közte és Renoir között. Valódi kötelék.

Számomra ez furcsán hangzott. Ilyenért szokták az embert elmegyógyintézetbe küldeni. Aztán súlyosbodott a helyzet. Megmutatta a munkáit. Éppolyan volt mind, mint egy Renoir. Majdnem tökéletes másolatok stílusban, ecsetkezelésben és témában egyaránt. Ráadásul egyiket sem szignózta, mintha szerette volna megőrizni annak az illúzióját, hogy esetleg a mester saját művei ezek is. Rettentő furcsa és szolgai módja a tiszteletadásnak.

A műterem egy nagy, magas, négyzet alapterületű helyiség volt. Hűvös és fényes. A falakon Renoir néhány festménye lógott, mellette pedig néhány Mignon munkáiból. Nehéz volt megkülönböztetni őket. A felakasztott munkák alatt, a falaknak döntve valóban számolatlanul sorakoztak a vásznak. Mignon azt mondta, Renoir gyerekei tették őket félre. Ez az örökségük. Senki nem nézhette meg őket vagy érhetett hozzájuk, mert mind nagyon jók voltak.

A férfi mindezt úgy mondta, mintha egyben azt is sugallni szerette volna, hogy valamilyen módon neki is komoly része volt abban, hogy ennyire jól sikerültek lettek.

Megkérdeztem, tud-e más olyan vászonról, amely iránt még nem érdeklődött senki. Bárhol Franciaországban. Válaszképpen átmutatott a terem túloldalára. Egy másik falnak döntve állt néhány, a gyerekek által visszautasított darab. Érthető volt, miért nem tartottak rá igényt. Mind vagy vázlat, vagy kísérlet volt, esetleg valamilyen módon befejezetlen maradt. Az egyiken semmi egyéb nem szerepelt, csak egy hullámos zöld csík, amely a csupasz vásznon futott végig balról jobbra. Talán egy tájkép, amelyet elkezdett, majd azonnal félbe is hagyott. Mignon elmesélte nekem, hogy Renoir nem igazán szeretett a szabadban festeni. Inkább bent szeretett dolgozni, a modelljeivel, akik többnyire rózsaszín és kerekded falusi lányok voltak. Az egyikükből nyilvánvalóan Madame Renoir lett.

A kitagadott vásznak között volt egy, amelyiken egy tájkép alsó fele volt csak látható. Néhány tucat zöld ecsetvonás, szépen, szuggesztíven, de egy kicsit szárnypróbálgatva, félszívvel kivitelezve. Égbolt nem is volt. Egy újabb félbehagyott kezdet. Egy félretett vászon, de olyan, amelyet aztán ismét elővettek, csak más céllal. Az égbolt helyén egy csendélet született, zöld üvegvázában rózsaszín virágok. A kép bal felső részére került, a tájképhez képest oldalra fordítva, és nem volt nagyobb huszonötször harminc centinél. A csokrot rózsából és kökörcsinből állították össze. A rózsaszín árnyalatok voltak Renoir védjegye. Mignon és én egyetértettünk abban, hogy Renoirnál senki sem használta jobban a rózsaszínt. A váza olcsó darab volt, pár sou lehetett a piacon, vagy otthon készítették úgy, hogy forró vizet töltöttek félig egy borospalackba, aztán megütögették egy kalapáccsal.

Gyönyörű kis képecske volt. Látszott, hogy örömmel készült. Kedves története is volt, Mignon elmesélte, hogyan készült. Egy nyári napon Madame Renoir kiment a kertbe virágot szedni. Megtöltötte a vázát a kút vizéből, és művészien elrendezte benne a virágszálakat, aztán a műterem ajtaján keresztül vitte be a házba, ez volt a legközelebbi útvonal. A férje meglátta a csokrot, és azonnal kedve támadt lefesteni. Szó szerint magával ragadta a vágy, mondta Mignon. A művészi hév már csak ilyen. Renoir abbahagyta, amit addig csinált, felkapta a legközelebbi, alkalmasnak tűnő vásznat, ami véletlenül éppen a befejezetlen tájkép volt, függőlegesen feltette az állványra, és megfestette a virágokat, az üres helyre, ahol az égboltnak kellett volna lennie. Azt mondta, nem tudott ellenállni a keszekuszaságuknak. A felesége, aki több mint tíz percet töltött előtte odakint a virágok elrendezésével, csak mosolygott, és nem szólt semmit.

Természetesen azonnal üzletet ajánlottam.

Azt mondtam, hogy ha elvihetem az apró csendéletet magammal, tisztán személyes szerzeményként és ajándékként, akkor megveszem Mignon húsz művét, és eladom őket New Yorkban. Százezer dollárt ajánlottam fel neki Porterfield pénzéből.

Persze Mignon igent mondott.

Még egy dolog, tettem hozzá. Segítenie kell kivágni a nagy vászonból és saját feszítőrámába tenni a virágcsokorrészletet. Mintha egy kisebb, eredeti darab volna.

Beleegyezett, hogy segít.

Még egy dolog, mondtam ismét. Rá kell festenie Renoir szignóját. Tisztán csak az én kedvemért.

Hezitált.

Csak annyit tettem hozzá, hogy ő pontosan tudja, hogy tényleg Renoir festette a képet. Biztos ebben, hiszen látta, ahogy megtörtént. Szóval hol van itt az átverés?

Elég gyorsan belement ahhoz, hogy derűlátó legyek a saját jövőmet illetően.

Levettük a félig tájképet, félig csendéletet a feszítőrámáról, és kivágtuk a vászonból a szóban forgó huszonötször harmincas téglalapot, plusz még elég szegélyt körülötte ahhoz, hogy rá tudjuk rögzíteni egy saját feszítőrámára, amit Mignon rakott öszsze a műteremben szanaszét heverő fából és szögekből. Amikor végeztünk, Mignon kinyomott egy festékpöttyöt az egyik tubusból, sötétbarnát, nem feketét, fogott egy finom teveszőr ecsetet, és odafestette Renoir nevét a jobb alsó sarokba. Csak *Renoir*, egy stilizált nagy kezdőbetű, és aztán egybeírt kisbetűk utána. Tökéletesen francia és tökéletesen ugyanolyan, mint a tucatnyi valódi, amit magam körül láttam.

Aztán kiválasztottam húszat az ő vásznaiból. Természetesen a legmegragadóbbakra és a leginkább Renoirt idézőkre esett a választásom. Írtam neki egy csekket – *egyszázezer dollár* –, majd papírba csomagoltuk a huszonegy vásznat, és felpakoltuk őket a pónifogatra, amely az utasításom szerint már várt rám és persze Porterfield nagylelkű borravalójára. Intettem egyet, és elhajtottunk.

Sosem láttam Mignont többé. Bár még három évig üzleti kapcsolatban maradtunk, hogy úgy mondjam.

Kivettem Cannes-ban egy szobát egy kellemes, tengerparti hotelben. A londiner fiúk felvitték a csomagjaimat. Kisétáltam a városba, találtam egy művészboltot, és vettem egy tubus sötétbarna olajfestéket meg egy finom teveszőr ecsetet. Felállítottam a kis csendéletemet a komódra, és lemásoltam Renoir szignóját húsz különböző alkalommal, Mignon vásznainak a jobb alsó sarkába. Aztán lementem a hallba, és táviratoztam Porterfieldnek. *Vettem három zseniális Renoirt százezerért. Azonnal indulok haza.*

Hét nap múlva otthon is voltam. Első utam egy keretezőhöz vezetett a kis csendéletemmel, amelyet aztán felállítottam a kandallópárkányomra, második körben pedig az Ötödik sugárútra, a Porterfield-rezidenciára siettem Mignon három legjobban sikerült darabjával.

Ott fogant meg bennem a lelkiismeret-furdalás magja. Porterfield kicseszettül odáig volt a gyönyörtől. Megkapta a Renoirjait. Ragyogott, és úgy vigyorgott, mint egy kisgyerek karácsony reggel. Mesések, mondta. Szinte semmiért. Egyenként csak harminchárom rongy. Még bónuszt is kaptam. Hamar túl lettem rajta. Muszáj volt. Volt még tizenhét Renoir, amit el kellett adnom, és így is tettem. Lassan szivárogtattam őket, három év alatt elosztva, hogy megőrizzék az értéküket. Olyan voltam, mint azok a kereskedők, akikkel Párizsban találkoztam. Nem akartam túltelíteni a piacot. A pénzből, amit így szereztem, kiköltöztem a gazdag negyedbe. Sosem laktam többé Angelóval. Találkoztam egy fazonnal, aki azt mondta, hogy RCA-részvényt kell vásárolni, az a tuti, és én vettem is, de felültettek. Nagyjából mindent elveszítettem. Nem mintha lenne jogom panaszkodni. Visszanyalt a fagyi. Aki másnak vermet ás, meg ilyenek. A világom összezsugorodott, magányos élet a közönyös városban, de a kandalló felett lógó rózsáim és kökörcsinjeim még ezt is beragyogták. Úgy képzeltem, hogy a Porterfieldrezidencián is ugyanez az érzés honol. Olyanok lehettünk, mint két tojás. A boldogság és öröm ikerközpontjai. Ő az ő Renoirjaival, én a sajátommal.

Aztán jött a szívroham és a lelkiismeret-furdalás. Az az aranyos tuskó, a nagy mosollyal az arcán. Nem írtam levelet. Hogyan is magyarázhatnám ezt el? Helyette levettem a Renoirt a falról, papírba csomagoltam, felsétáltam vele az Ötödik sugárútra, át az itáliai bronzkapun, az ajtóig. Porterfield nem volt otthon. Rendben is volt így. Odaadtam a csomagot a lakájnak, és csak annyit mondtam, szeretném, ha ez a főnökéé lenne, mert tudom, mennyire szereti Renoirt. Aztán elsétáltam, vissza a lakásomba, ahol most is ücsörgök, és várom a második rohamot. A falam most üres, de talán jobb ez így.

Új, üres dokumentum

Ez az egész körülbelül tíz éve történt, akkoriban, amikor egyáltalán nem volt jellemző, hogy ismeretlenül felhívjanak. Talán ha két ilyen hívásom akadt havonta. Néha három. Véletlenszerű megbízások, mert olcsó voltam, és mindig elérhető. Épp akkor kezdtem szabadúszóként felépíteni a nevemet, és teljesen tisztában voltam vele, hogy még hosszú ideig nem lehetek majd válogatós, úgyhogy mindig el is fogadtam a felkérést. Boldogan mentem bárhová, és megtettem bármit. Itt-ott néhány ezer szó már fedezte a lakbéremet. Egy másik pár ezer ételt tett az asztalomra.

Megcsörrent a telefonom. Felvettem, és halk fütyülést meg kaparászást hallottam. Nem helyi szám. Kiderült, hogy egy párizsi magazin szerkesztője keres. Tengerentúli hívás, az első, amit valaha kaptam. A pasas akcentussal, de folyékonyan beszélt angolul. Azt mondta, egy ügynökségtől kapta a nevemet. Az ügynökséghez, amelyet említett, mindenki be szokott jelentkezni abban a reményben, hogy kap valami lóti-futi munkát egy külföldi lapnál. Kiderült, hogy aznap a reményeim beteljesültek. A párizsi fickó azt mondta, éppen egy ilyen megbízásra akar küldeni. Azt állította, hogy a magazinja a legnagyobb ebben meg abban, de a lényeg számomra annyi volt, hogy egy kiegészítő cikket akar valami fazonnak a testvéréről.

– Cuthbert Jackson testvére – mondta olyan áhítattal, mintha legalábbis az irodalmi Nobel-díjat ítélné nekem éppen oda.

Nem feleltem semmit. Fél kézzel bepötyögtem a billentyűzetemen, hogy *Cuthbert Jackson*, és a keresőoldal feldobott valami ismeretlen amerikai dzsesszzongoristát, egy öreg, fekete fickót, aki Floridában született, de már jó ideje Franciaországban él.

– Cuthbert Jackson, a zongorista? – kérdeztem.

– Ő sokkal több annál – felelte a párizsi fickó. – Gondoltam, ismeri persze. A magazinunk egy teljes biográfiát célzott meg. Úgy tervezzük, hogy sorozatban, tizenhárom részletben adjuk ki. Nemrégiben Monsieur Jackson elárulta, hogy van egy élő rokona, egy fiútestvére, aki még mindig Floridában lakik. Természetesen az ő nézőpontját is bele kell foglalnunk a cikkünkbe. Most azonnal fel kellene őt keresnie. Jól tudom, hogy közel él Floridához?

Ami azt illeti, jól tudta, és gondolom, ez a magyarázat arra, hogy miért is engem választott az ügynökség listájából. Egyszerű földrajz: kevesebb kilométerpénz.

– Florida nagy állam – mondtam –, de igen, közvetlenül mellette lakom.

– Részleteket szeretnénk kapni a családról. Ez lenne a cél. De ne aggódjon! A legrosszabb esetben bármit fel tudunk használni, amit sikerül begyűjtenie, ha szükséges, egyszerűen kísérőtartalomként, mintha csak megjegyeznénk, hogy Monsieur Jacksonnak van egy testvére, aki itt és itt lakik, és ezt meg ezt csinálja.

– Értem – feleltem.

– Ez nagyon fontos.

– Értem – mondtam újra.

Tíz évvel ezelőtt az internet még nem tudott annyit, mint ma, de bőven elég információ volt fent ahhoz, hogy megtaláljam, amire szükségem volt. Voltak már üzenőfalak és rajongói fórumok, weboldalak régi fényképekkel, dzsessztörténeti oldalak, és némi politikai tartalom, főleg franciául. Röviden összefoglalva Cuthbert Jackson 1925-ben született egy jelentéktelen porfészekben a Floridai-félszigeten. Az egész városkában egyetlen zongora volt, és azon ő játszott egyfolytában. Négyéves korára már mindenki úgy hozzászokott a tehetségéhez, hogy meg sem említette. Tizennyolc évesen besorozták az amerikai hadseregbe, és műszaki támogató katonaként képezték ki. A normandiai partraszállás miatt küldték Európába. A felszabadulás után Párizsba szállították, hogy meneteljen az amerikai győzelmi felvonuláson. Soha nem hagyta el Párizst többé. Először csak engedély nélküli eltávon lévőként listázták, aztán megfeledkeztek róla.

Párizsban végigzongorázta a nyomasztó, háború utáni éveket. Apró, alagsori klubokban izzadva játszott olyan embereknek, akik elkeseredetten kerestek valami újat, amiben hihettek, és volt, aki ennek egy részét éppen abban az amerikai zenében találta meg, amelyet egy számkivetett, fekete ember játszott. Ő azt mondta volna, hogy nemcsak előadta, hanem alakította is a zenét, talán gyorsabban és radikálisabban is az elszigeteltsége okán. Nem Los Angelesben vagy Greenwich Village-ben zenélt. Nem igazán hallott másokat játszani, emiatt egyesek elkezdték az ő sajátos irányvonalát iskolaként vagy mozgalomként emlegetni, ami egzisztenciális vitákhoz vezetett más iskolák és mozgalmak elkötelezettjeivel. Mindez pedig növekvő ismertséget hozott, ami miatt ő franciásan egyre inkább elvonult a világtól, és ez még híresebbé tette. Ritkán szólalt meg, és szerinte az a kevés is csak az egyszerű józan paraszti eszéből jött, de amikor lefordították franciára, úgy hangzott, mintha Szókratész mondta volna. A lemezeladásai átütötték a plafont Franciaországban, de sehol máshol. Ez akkoriban gyakran megesett. Voltak fekete írók, költők és festők, mind amerikaiak, mind Párizsban éltek, és mindnek jól ment. A hírekben hetente szerepeltek néhány sztorival. Cuthbert Jackson neve is felbukkant.

A politika miatt. Franciaország haladt az útján. Volt légiereje, automobiljai és atombombái. Mindenkinek egészen jól ment a sora. Leszámítva, hogy az amerikaiaknak még jobban ment. Ami a megvetés és az irigység szenvedélyes keverékét idézte elő, és kritikához vezetett. Ami felvetett egy kérdést: miért lesz jobb a ti feketéiteknek, amikor átjönnek hozzánk?

Ami eléggé önelégülten hangzott, és teljes mértékben visszaütött, mivel ez nem volt valódi kérdés, csupán egy lépés a játékban. Mindegy is, mivel az odahaza már egyébként is érlelődő, gigantikus viharok maguk alá temették ezt a problémát. A franciák szemében azonban ez a kérdés érdekfeszítőnek és civilizáltnak tűnt. Az emberek egyetértettek abban, hogy filmet forgathatnának belőle. Azon gondolkodtak, hogy a belügy kiadhatna egy memorandumot ezzel kapcsolatban.

Maga Cuthbert Jackson általában nem vett tudomást a problémáról, de ha közvetlenül nekiszegezték a kérdést, válaszolt a maga egyszerű józan paraszti eszével, habár ahogy öregedett, egyre tömörebben fogalmazott, és a francia fordítás egyre furcsább és filozofikusabb lett. Egy pasas egy egész könyvet írt Jackson egyetlen, ötszavas válaszáról, amit az emberiség valószínűsíthető jövőjével kapcsolatos kérdésre adott.

A legutóbbi CD-jén, amely nagyon jól fogyott, a megszokott trióval játszott.

A legutóbbi nyilvános megszólalása arról szólt, hogy van egy fiútestvére.

A cím, ahová minden, a neten talált adat szerint valószínűleg mennem kellett, Floridának nem a legszerencsésebb vidékére esett, tőlem nagyjából egynapnyi autóútra, úgyhogy korán indultam. Biztos voltam benne, hogy arrafelé nem lesznek motelek. Gondoltam, majd alszom a kocsiban. Bármit és bárhol. Ki kell fizetnem a lakbért.

A kisváros éppen olyan vacak volt, amilyennek vártam. Talán egy kicsit még annál is hitványabb. Csupa földszintes ház, közvetlenül egy minden bizonnyal korábban virágzó civilizáció régészeti romjai köré felhúzva. Valami régi gyárépület, talán cukorgyár, aztán üzletek és bankok sorakoztak egymás után. Némelyik egészen tisztességes, a maga szerény, háromszintes módján talán még csinosnak is mondható épületben működhetett, de mind évtizedek óta állhatott már ott elhagyatottan, omladozva. Rég benőtte őket a gaz. Ott szálltam ki a kocsiból, ahol néhány embert láttam csoportosulni. Mind vártak valamire.

A türelmetlenség és a várva várt dolog érkezésébe vetett bizonyosság keveréke érződött rajtuk.

– Mi érkezik? – kérdeztem az egyik pasast.

– A pizzáskocsi – felelte.

A kocsi épp időben jelent meg, és kiderült, hogy miután az utolsó itteni bár összeomlott, ez lett az ő új bárjuk. A pizzafutárnak volt hűtött dobozos söre, ami vagy megfelelt a megyei szabályoknak, vagy nem, de mindenképpen társasági eseménnyé varázsolta a pizzaevést, mintha a legjobb hely lenne, ahol a pizza a burgonyacsipszet és a sós mogyorót helyettesítette a sör mellett. Húsz embert számoltam össze. Mondtam az egyiküknek, hogy Cuthbert Jackson testvérét keresem.

– Kinek a testvérét? – kérdezte.

– Cuthbert Jackson. A zongorista. Volt egy fiútestvére.

– Kicsoda? – kérdezte egy másik fickó.

Aztán egy újabb. Mind érdeklődve figyeltek. Talán kifogytak a pizzát érintő témákból.

– Franciaországban nagyon híres – tettem hozzá.

Semmi reakció.

– Ki maguk közül a legidősebb? – kérdeztem.

Kiderült, hogy az egyikük, aki éppen pepperonis pitét evett és High Life-ot ivott, nyolcvanéves.

– Emlékszik a második világháborúra? – tettem fel neki a kérdést.

– Még jó hogy! – felelte.

– Cuthbert Jackson tizennyolc évesen vonult be a seregbe. Ezek szerint maga akkor tizenhat lehetett. Jackson már előtte is nagyon jól zongorázott. Biztosan hallott róla.

– Az a kölyök soha nem tért vissza.

– Mert Franciaországban maradt.

– Azt hittük, megölték.

– Nem, túlélte. És most azt mondja, van egy fiútestvére.

– Még most is zenél?

– Nagyon is.

– Akkor lehet, hogy csak képletesen érti. Tudja, hogy van

ezeknél a művészféléknél. Talán volt valami spirituális megvilágosodása. Hogy minden ember testvére egymásnak, meg ilyenek.

– Feltételezem, hogy nem erről van szó.

– Maga riporter?

– Büszkén vállalom – mondtam. Milyen régen terveztem már kimondani ezt a két szót.

– Kinek dolgozik?

– Bárkinek, aki kész megfizetni. Jelenleg egy francia magazinnak.

– Azt hittük, hogy megölték – mondta a pasas. – Miért maradt Franciaországban? Nem látom az okát.

– Ismeri a testvérét? – kérdeztem.

– Hát persze! – mondta, aztán pár lépéssel arrébb vitt, és a pepperonis szelet hegyes végével a következő utca legutolsó háza felé intett.

Kopogtattam, és az ajtót egy másik, körülbelül nyolcvanévesnek kinéző fickó nyitotta ki. Ez stimmelt, elvégre maga Cuthbert nyolcvankettő volt, a rég elveszett testvér pedig vagy picit több, vagy picit kevesebb. Az öreg fazon Albert Jacksonként mutatkozott be. Elmeséltem neki, hogy egy idevalósi férfi, akit Cuthbert Jacksonnak hívnak, nagyon híres lett Franciaországban, és nemrég kiegészítette az életrajzát azzal, hogy van egy fiútestvére.

– Miért mondott volna ilyet? – kérdezte Albert.

– Nem igaz?

– A tévéműsorokban az igazat, csakis az igazat, a színtiszta igazat akarják.

– Én csak egy riporter vagyok, aki kérdéseket tesz fel.

– Mi volt a kérdés?

– Maga Cuthbert Jackson testvére?

– Igen, az vagyok – válaszolta Albert Jackson.

– Az jó.

– Valóban?

– Abban az értelemben, hogy így az új életrajzi adalék helyesnek bizonyul. A jövő történészei nem lesznek félrevezetve. Mármint Franciaországban. Egy fickó egy komplett könyvet írt egyetlen, ötszavas mondatáról.

– Több mint hatvan éve nem láttam őt.

– Mire emlékszik vele kapcsolatban?

– Tudott zongorázni.

– Azt hitték, hogy meghalt a háborúban?

Albert megrázta a fejét.

– Sokszor elmesélte a tervét nekem. Hagyja majd, hogy átvigyék, és aztán kiválasztja a legjobb helyet, amit lát, és ott marad. Azt mondta, hogy ha a háború elég sokáig tart ahhoz, hogy engem is behívjanak, nekem is ezt kellene tennem.

– Mert egy fekete férfi számára máshol jobb lenne?

– Már ha zongorázik, gondolom. Bár sok zongorázó népség él jól itt is.

– Hallott valaha felőle?

– Egyszer. Írtam neki valamiről, és ő visszaírt.

– Meglepődött, hogy sosem jött haza?

– Talán először egy kicsit. De később már nem igazán.

– Kisegítene engem azzal, hogy ad némi információt a családi hátterükről?

– Gondolom, valakinek ezt is meg kell tennie.

– Hogy érti ezt?

– Maga azt hiszi, hogy az életrajz helyes, de nem az. A történészek félre lesznek vezetve. Nem tudom, miért mondta, amit mondott, hogy van egy fiútestvére. Nem igazán értem, hogyan gondolta. Lehet, hogy beletelne némi időbe, mire rájönnék.

– Nem értem. Épp most mondta, hogy maguk ketten testvérek.

– Azok vagyunk.

– Akkor mi a gond?

– Úgy kellene írni az életrajzban, hogy két fiútestvére volt.

Leültünk, elővettem a laptopomat, és Albert mesélni kezdett, de amint láttam, hogy hová is fut ki a történet, egy pillanatra megállítottam, elmentettem a francia fájlt, és nyitottam egy új, üres dokumentumot a kibontakozóban lévő igazi sztorinak. Emlékszem a pillanatra. Pont az az érzésem támadt, amit egy újságírónak éreznie kell.

Egy Bertrand Jackson nevű fekete földműves gazdának volt három fia és két lánya. Két és fél évente születtek szépen sorban, egymás után, és tökéletes sormintát alkottak. Cuthbert volt az első, a legidősebb fiú, aki zongorázva nőtt fel, aztán a tengerentúlon maradt. Albert, aki ott ült velem szemben, és épp a történetüket mesélte, a középső fiú volt, a legfiatalabbat pedig Robertnek hívták. A köztük született lányok elbűvölőek voltak. Az édesanyjuk boldog volt. A föld remekül termett. A dolgok igencsak jól mentek a farmon. Bertrand vagyonos embernek érezte magát. Minden sikerült. Csak egyetlen gondja akadt. A legfiatalabb fiának, Robertnek nem forgott valami gyorsan az esze kereke. Mindig mosolygott, mindig imádnivaló volt, de a földművelés feladta neki a leckét. Amivel nem is volt gond, hiszen a többiek tudtak róla gondoskodni.

Aztán a gazda elkövetett egy hibát. Mivel vagyonos embernek érezte magát, megpróbált szavazóként regisztrálni az elnökválasztásra. Úgy érezte, ez állampolgári kötelessége. Hosszú ideig próbálkozott, mielőtt feladta. Aztán az egyik megyei elöljáró megmondta neki, hogy ne is kísérelje meg többé. A helyzet barátságtalanná vált. Úgy gondolta, hogy irigyek rá, mert jól megy a farmja. Talán egy kicsit lehangolt lett. A november decemberbe fordult.

A gazda még korábban szerzett Robertnek munkát. Abban a szárazáruboltban kellett sepregetnie, ahonnan az apja a magokat szerezte be. A tulajdonos fehér volt. Néha a lánya ült a kasszánál. Jött a karácsony, és Robert készített a lánynak egy karácsonyi lapot. Sokat dolgozott a kézírásán. Azt írta: *Remélem, hogy te is küldesz kártyát nekem.* A lány apja meglátta a lapot, megmutatta a barátainak, és pillanatok alatt lincshangulat alakult ki. Jöttek Robertért a szemérmetlen ajánlat miatt, amit fekete fiúként egy fehér lánynak tett. Összekötözték a kezét és a lábát, majd a folyópartra állították. Az egészet végignézették az apjával. Azt mondták Robertnek, hogy választhat: belevetheti önszántából magát a folyóba, vagy ők lövik bele. Mindkét esetben a folyóban végzi. Meg fog fulladni. Ez ellen semmit nem lehet tenni. Robert segítségért könyörgött az apjának, de a gazda csak annyit mondott: „Sajnálom, fiam, nem tudok, hiszen vár még négy gyerekem otthon, és a farm, és az édesanyád." Robert belevetette magát a folyóba. Később megjelent náluk ugyanaz a megyei elöljáró, és csak annyit mondott: „Ugye most már érted, hogy mi történik?" Azt mondta, a szavazás nem a gazdának való.

Albert elmesélte, hogy hosszú, részletes levelet írt a történtekről Cuthbertnek. Arról, hogy még a helyi lapok sem írtak semmit az esetről, a helyi rendőrség jelentésében pedig csak annyi állt, hogy egy engedetlen gyermek a tiltás ellenére úszni ment. Cuthbert visszaírt Párizsból. A válasz mélységesen szomorú, de beletörődő volt. És türelmetlen. Harcoltak a háborúban. Mi kell még? Ezek után Albert már nem lepődött meg azon, hogy a testvére nem ment haza.

Háromszáz kilométert vezettem vissza azon az úton, amerről jöttem. Amikor elfáradtam, szundítottam egyet a hátsó ülésen, aztán folytattam az utat. Neki akartam állni a munkának. De amikor végre elkezdhettem volna, nem ment. Úgy éreztem, hogy ha erkölcsi szempontból nézzük, a sztori a francia lapot illeti. De nem akartam, hogy egy ilyen történet az övék legyen. Vagy bármelyik másik népé. Nem pontosan tudtam, hogy miért érzek így. Talán hogy ne a nyilvánosság előtt teregessük ki a szennyest, gondoltam. Együtt győzhetünk, külön-külön elbukunk. A klisé nem véletlenül klisé. Úgy éreztem magam, mint egy rossz újságíró.

Aztán ráébredtem, hogy Cuthbert Jackson ugyanígy döntött. Végig a politika sújtotta években. Szókratész volt. Elmondhatott volna egy lesújtó történetet, az egekbe emelhette volna a számkivetettségét, de nem tette. Soha egyetlen szót sem mondott Robertről. Azon gondolkodtam, vajon ő maga tudja-e, miért nem. Meg akartam kérdezni tőle. Egy pillanatra átfutott az agyamon, vajon a magazin kifizetné-e a repülőutamat Párizsba.

Végül otthon maradtam, és egyszerű kísérőszövegként fogalmaztam meg az egészet. Annyit írtam, hogy mellesleg Monsieur Jacksonnak valóban van egy testvére, aki itt és itt él, és ezt és ezt csinálja. Épp annyit fizettek, hogy el tudtam hívni a haverjaimat egy vacsorára. Egész este Cuthbert hallgatásáról beszéltünk, de nem jutottunk semmilyen következtetésre.

Köpcös és az aktatáska

Köpcös Malone legendás hete hétfőn kezdődött, amikor egy lövés épphogy karcolta a lábát egy szemétszállító cég karbantartó részlegén. Az ő egysége a főbejáraton hatolt be, egy másik pedig a hátsó ajtón, nagyjából azzal a tervvel, hogy bekerítik a fickót, akiről tudták, hogy valahol a bent parkoló szemeteskocsik között bujkál. Aztán valaki tüzelni kezdett, és egy pillanat múlva már mindenki lövöldözött. A hivatalos jelentés szerint kilencven rendőrségi lövedéket lőttek ki aznap. Senki sem halt meg, még a bujkáló fickó sem. Az egyetlen sérült Köpcös volt, egy szerencsétlen, gellert kapott golyó találta el. Később, az eset rekonstruálásakor kiderült, hogy egy tiszttársa lőtt, akinek a lövedéke először egy gumi oldalán vett enyhe kanyart, majd egy másik kocsi alvázán következett be vadabb elhajlás a pályájában. Közben a golyó erőteljesen deformálódott, és veszített az erejéből. Köpcöst a sípcsontján találta el, nem ütött nagyobbat, mint egy kisebb gömbfejű kalapács. Áthatolt a bőrén, és megrepesztette a csontot. Köpcöst azonnal kórházba szállították.

A történtek után kínossá vált a helyzet. Nehéz volt komolyabb lelkesedést mutatni. Köpcös egy éve dolgozott a nyomozórészlegen, már nem volt bátor újonc, de még őszes, veterán hős sem. Egy senki volt. Ráadásul technikailag öngólnak számított az eset, hiszen rendőr lőtte meg, még az is kétséges, hogy a bujkáló fazonnak volt-e fegyvere egyáltalán. Plusz a pletyka szerint eleve nem is a jó fickót célozták be. Talán inkább a testvére lehetett. Így aztán arra jutott mindenki, hogy jobb lenne az egész ügyet elfelejteni. Ami Köpcös számára kemény volt. Rendes körülmények között egy meglőtt rendőrt maximális tisztelettel kezelnek, és most Köpcösnek éppen úsznia kellene a boldogságban. Rendes körülmények között fél tucat reménykedő senkiházi kezdett volna gyűjtésbe az interneten, Köpcös pedig igazán szép kis summát kaphatott volna belőle. Akár még egy főiskolai tandíj összege is kikerekedhetett volna belőle.

Ehelyett tudomást sem vettek róla. Kedden mindannyian új ügyekhez lettünk beosztva. Ez is a felejtés része. Persze valamikor, a homályos múltban elkövethettünk hibákat, de az akkor volt. Továbbléptünk. Most előrehaladunk. Mind elkezdtük az új eseteket tanulmányozni, és ennek köszönhetően senki nem ment be többet a kórházba Köpcöst meglátogatni, kivéve a társát, Celia Sandstromöt, aki szintén egy éve volt a részlegen, és ugyanolyan senkinek számított, de legalább jobb volt ránézni, már ha nem viselte éppen a golyóálló mellényét. Gyakran beugrott a kórházba, és folyamatosan tájékoztatta Köpcöst arról, mi történik és mi nem történik odabent.

Bennünket a kábítószeresekhez osztottak be, ez az ő felejtésükhöz kellett. Semmilyen korábbi stratégia nem hozott eredményt. Itt volt az ideje mindent lezárni. Itt volt az ideje új irányt venni. Ahogyan mi is tettük. Tehát ha valaki bármikor is megemlít egy korábbi szégyenfoltot, mind összeráncolhatjuk a homlokunkat, és mondhatjuk: „Micsoda? Az a régi semmiség?" Mintha a barátnőd legyintene, amikor megdicséred, hogy milyen jól nézett ki a tegnapi pulcsijában. Az ő részlegük is új lappal indult, ahogyan a miénk is, és csereberéltek bennünket a nagy megváltó ötletük érdekében, ami nem volt más, mint hogy ne a kokót kövessük, hanem a pénzt. Ehhez pedig ember kellett. A kábítószer-kereskedelem készpénzigényes üzlet. A készpénz olyan, mint a folyó. Látni akarták, hogy hová folyik, és hogyan. Voltak részletek, amelyekről tudtak. Voltak, amelyeket nem értettek. Azt akarták, hogy kint legyünk a terepen, és figyeljünk.

Főképpen egy pasast figyeltettek velünk, aki Jersey-ből szállított rendszeresen egy aktatáskát. Általában hetente kétszer tette meg az utat. Feltételezték, hogy az aktatáska papírpénzzel van tele. Vagy nagykereskedőt fizettek ki, vagy talán profitrészesedés volt benne. A piramis egyik szintjéről a következőre. Azt mondták, egy átlagos aktatáskába egymillió dollár fér. Azt mondták, azért van szükség személyes átadásra, mert a pénz csak a bankba kerülve válhat elektronikussá. Készpénzt még nem lehet utalni. Azt mondták, itt lesz a megoldás kulcsa, és a mi feladatunk, hogy felmérjük, mekkora esélye van annak, hogy szemtanúi legyünk egy kézből kézbe történő átadásnak. Ezzel két legyet ütnénk egy csapásra, és még egy létfontosságú szemet is megsemmisítenénk a láncban. Izgalmas munka volt. Nem csoda, hogy mindenki megfeledkezett Köpcösről. Kivéve Celiát. Minden bizonnyal még ugyanaznap beszélt neki a küldetésről, mert körülbelül ekkortájt kezdhetett Köpcös gondolkodni.

Az aktatáskás pasas egy idősebb úriember volt. Jó kiállású férfi. Előkelő és tehetős fajta. Komoly, tekintélyt parancsoló figura. Már a megjelenése is mély tiszteletet ébresztett. Egymilliót tartott a kezében. Az aktatáska fémből készült, valamelyik jó nevű márka kollekciójából származott. Végigsétált vele a járdán fényes nappal, egészen egy régi stílusú irodaház bejáratáig. Belépett vele az épületbe. Tíz perccel később nélküle távozott. Láttuk, hogy pontosan úgy tett, ahogy a jelentésben leírták. Mindig ugyanúgy.

Az irodaház vékony és hosszúkás előterében biztonsági szolgálat működött. A címjegyzék húsz bérlőt jelzett. Csupa semmitmondó név. Egy halom export- és importcég. Kétségtelenül jól kiépített jelzőrendszerrel. Mindenféle módszert bevetettek, hogy idejekorán riadóztassanak. Értelmetlen volt kérdéseket feltenni. Írtunk egy jelentést, és beküldtük, de az új főnökeinknek ez nem tetszett. Tovább erőltették a dolgot.

– Meg kell tudnunk, melyik irodáról van szó – mondták.

– Nem jutunk túl a portán – feleltük.

– Tegyetek úgy, mintha karbantartók lennétek!

– Nincs szükségük karbantartásra.

– Akkor használjátok a jelvényeteket!

– A rosszfiúk hamarabb lépnének le a tűzlépcsőn, mint hogy a liftajtó egyáltalán kinyílna előttünk a hallban. A biztonsági őr valószínűleg egy lábpedállal irányítja.

– Adjatok neki száz dolcsit!

– A rosszfiúk ötszázat adnak.

– Van valami javaslatotok akkor egyáltalán a munka folytatására?

– Ez az első nap, főnök – mondtuk. – Még keressük a lehetőségeket.

Később Celia elmesélte, hogy Köpcös szerint valamit nagyon félrenézünk. Csak nem tudja, mit. A hátán feküdt, begipszelt lába az égbe meredt. Orvosilag nem lett volna szükséges így fektetni, de a szakszervezet szerint ez jobban mutat majd az újságban megjelenő fotón.

– Köpcös izgul miattunk – mondta Celia. – Hiányzunk neki.

– Milyen Köpcös? – kérdeztünk vissza.

Bejöttünk szerda reggel, és ahogy az várható volt, a menő aktatáskás ügyletet máris érdektelenné nyilvánították. Az elvárások visszamenőleg leértékelődtek. Biztos adat, egy újabb tégla a falban, ahogyan azt előre tervezték, de semmi több.

Majd még azelőtt, hogy lefőtt volna a kávé, az ügy visszaugrott a napirendi pontok elejére. Új bizonyíték futott be egy másik irányból, és ugyanahhoz az épülethez vezetett. Egy konkrét bérlőhöz. Minden kétséget kizáróan tudták, hogy ez a bizonyos pasas szokott pénzt kiküldeni, és most a lehetetlent akarták. Látni akarták, ahogy ugyanaz a pénz bemegy. Azt akarták, hogy bejussunk annak a bizonyos bérlőnek az irodájába. Tanúvallomásokat akartak arról, hogy az idősebb úriember lerakja az aktatáskát egy asztalra, és a másik fazon maga felé fordítja a táskát, aztán hüvelykujjal felpattintja a zárat. Ha annyira közel tudnánk kerülni, hogy magát a készpénzt le is foglaljuk, az lenne a hab a tortán.

– Köpcös szerint ez egyértelműen lehetetlen – mondta később Celia.

– Nincs szükség a kórházi folyosókon kísértő végzet hangjára, magunktól is tudjuk – feleltük erre. – Persze hogy lehetetlen.

– Akkor mit kellene tennünk?

– Semmit. Talán áthelyeznek majd bennünket a bűnügyisekhez, ami nem lenne a legrosszabb dolog a világon.

De Köpcös nevének említésére felidéződtek a tegnap elhangzottak, amit egyetlen nyomozó sem szeret hallani: az, hogy valamit talán benézünk? Senki nem mondott semmit fennhangon, de tudtam, hogy titokban mind külön-külön végigfuttattuk az esetet a fejünkben az elejétől a végéig, az eredeti akták alapján, a kézzel írt feljegyzésekkel egyetemben.

A pasas Jersey-ből vezetett át egyedül, nem volt sofőrje. A szép, de nem feltűnő autójával áthajtott a Lincoln alagúton, aztán tovább déli irányban a régi stílusú irodaházhoz legközelebb eső parkolóházba. Egy alacsony, fekete mellényes, csokornyakkendős férfi leparkolta az autót, a mi emberünk pedig közben kisétált a parkolóházból az aktatáskával, és elindult vele hosszú útjára a járdán. A séta másfél tömb után mindig az irodaépület halljában ért véget, ahol egy tiszteletteljes, de alapos ellenőrzést követően megkapta a beleegyező bólintást a portáspultnál, és továbbhaladhatott. Minden egyes alkalommal nagyjából tíz percet töltött bent, és üres kézzel távozott. Ezek voltak a tények. Ez volt, amit tudtunk.

Celia úgy tett, mintha egy pillanatig sem gondolkodott volna el a problémán, de később azért hozzátette:

– Köpcös biztos benne, hogy valami nem stimmel.

Persze az adott pillanatban nem éppen ezt szerettük volna hallani, hiszen a tétet most emelték még magasabbra. Azóta néhány újabb kirakósdarab került a helyére. Az emberek fent, az irodában hirtelen rájöttek, hogy az egész láncot kilőhetjük egyszerre. Az év fogása lenne. Kitüntetések sora, szavazatok a polgármesternek. Minden, amit el bírsz képzelni. De hibátlannak kell lennie. Minden láncszemnek sziklaszilárdan kell helytállnia a tanúk padján. A bizonyíték létfontosságú.

Mi próbáltuk megértetni velük, hogy nem tudjuk megszerezni a bizonyítékot. Mondtuk, hogy inkább a járdán kellene letámadni a fickót, még mielőtt bemegy az irodaházba, amikor a pénz még az aktatáskában van. Hiszen az jogilag igazolható feltevés, hogy annak a bizonyos bérlőnek az ismeretlen irodája felé tart vele. Hová máshová menne? Ez legalább annyira jó, mint szemtanúként ott lenni az átadáskor. Igazából ugyanaz, csak egy korábbi szakasz. Egy másik pillanatkép, egy előző kocka ugyanabból a filmből.

Semmi nem bír nagyobb meggyőző erővel, mint hogy nincs más alternatíva, ezért belementek. Az egyik eligazítóban vártuk a hívást Jersey-ből. A helyi járőr odaát figyelte a pasas lakását. Abban a pillanatban, amint elindul az alagút irányába, azonnal szólnak nekünk. A forgalom általában durva. Rengeteg időnk lesz. Csak semmi sietség.

De a hívás csak nem érkezett be. Sem szerdán, sem csütörtökön. Pénteken jött. Valami pirospozsgás külvárosi lovas rendőr szólt ide, hogy a fickó úton van a szép, de nem túl feltűnő autójában, és úgy tűnik, Manhattan felé tart. Celia éppen ekkor nem volt bent a szobában. Egy perccel később jött be, és mi értesítettük, hogy megvolt a hívás.

– Köpcös szerint nagyon rossz nyomon járunk – mondta.

Az adott pillanatban nem pont ezt szerettük volna hallani, mert éppen próbáltuk felspannolni magunkat, mielőtt lerohanunk egy férfit a járdán. De ő tovább hajtogatta. Azt mondta, Köpcös csak fekszik ott egész nap, és rengeteg ideje van gondolkodni. Hallgatnunk kellene rá. Összezavarodtunk. Egyrészről Celia az egység tagja. Lehet, hogy egy senki, de a társunk. Ahogy Köpcös is. Másrészről viszont az év fogása, kitüntetések és szavazatok forognak kockán. Az ilyet nem érdemes azzal elszúrni, hogy a kezünkbe vesszük az irányítást. Senki nem akart az a rendőr lenni, aki elszúrta.

– Tényleg elhisszük – kérdezte Celia –, hogy jogilag igazolható, ha lekapcsoljuk az utcán egy táska pénzzel?

– Nagyjából – mondtuk. – Valahogy úgy. Talán. Feltehetően így is jó.

– Vajon az ügyvédje elkezd majd aggódni?

– Egy picit. Bár valószínűleg nem fogja felvágni az ereit.

– De akárhogy is, ez egy komoly ügy, nem igaz? – mondta Celia. – Egymillió dollár készpénzben. Az adóhivatal is be lesz vonva. Talán még a pénzügyminisztérium is. Miért kockáztatnának? Miért hordozgatná bárki ennyire nyíltan, mindenki szeme láttára azt az aktatáskát?

– Tudjuk, hogy a pénz A-ból B-be mozog – feleltük erre.

– Tudjuk, hogy a benti fazon kapja meg. Hogyan máshogy juthatna be hozzá pénz, ha nem a mi emberünk által? Senki más nem jár be és ki. És az emberek mindenféle dolgokat visznek le-fel ebben a városban. Gyémántokkal teli aktatáskát például, ami ennél sokkal többet ér.

– Köpcös szerint ez csapda. Szerinte a táska mindig üres. Csak húzzák az agyunkat. Épp azt akarják, hogy leszedjük a fickót. Szinte már könyörögnek. Ez a tervük. Azt akarják, hogy nyissuk ki a táskát, és ne találjunk benne semmit. Köpcös szerint jó nagy hülyét csinálnánk magunkból. Azt mondja, egy ilyen után soha többet nem kapnánk engedélyt ebben az ügyben. A bírák csak röhögnének rajtunk. Évekre békén kellene hagynunk ezeket a gazembereket. Így ők nyernek.

– Az egyik pasas pénzt ad a másiknak – mondtuk. – Ezt tudjuk. Ez tény, mivel ez egy lánc. Sok ember számít ránk, ezt most jól kell csinálnunk. Szükségünk van a bizonyítékra.

– Megszerezhetjük – mondta. – De nem az utcán. Mert nem ott van. Köpcös szerint igazatok van, az egyik fazon pénzt ad a másiknak. De nem úgy, ahogy gondoljuk.

– Akkor hogyan?

– A parkolóházban. A fickó a csomagtartóban hagyja a pénzt. Talán egy bevásárlószatyorban. A parkolóház alkalmazottja kiveszi a pénzt, és átteszi a másik fazon kocsijába. Ami

mindig ott áll, hiszen ez a parkoló a legkényelmesebb az iroda-
házban dolgozók számára. Az átadás valódi helyszíne teljesen
kiesik a látókörünkből. Fel sem merül bennünk. Mindenkinek
eltereli a figyelmét a fényes aktatáska.

Mindenki hallgatott.

– Köpcös szerint csak nyerhetünk az egésszel – folytatta
Celia. – A kocsit nagyon gyorsan leellenőrizhetjük, amint a pasas
kiszáll belőle, és ha még sincs benne semmi, akkor is utolérhet-
jük és elkaphatjuk, ahogyan eredetileg kellett volna, csak né-
hány lépcső az egész. Köpcös szerint nincs veszítenivalónk.

A telefon ismét megcsörrent. A kikötőrendészettől hívtak,
az alagút Jersey felőli végéből. A pasas épp most haladt el a fize-
tőkapunál.

Elindultunk. A garázsban vártunk.

Nincs veszítenivalónk.

Köpcösnek igaza volt. A pénzt egy sárga műanyag bevásárlósza-
tyorban találtuk meg a pasas kocsijának a csomagtartójában. Bi-
zonyítéknak ez bőven megfelelt, jobb is volt, mint amit bárki be
tudott volna gyűjteni. Rendkívüli mértékben hozzájárult az év
fogásához. Celia jelenlétében nem éreztük ildomosnak, hogy
magunknak arassuk le a babért, úgyhogy nagyjából az igazat
mondtuk, és így hamar nyilvánosságra került a történet egy zsa-
ruról, akit hétfőn lábon lőttek, és aztán a kórházi ágyban fekve, a
fájdalommal küzdve péntekre összehozta az új részlege egyik
legátütőbb sikerét, pusztán az eszét használva. Köpcös kapott
egy kitüntetést a lába miatt, egy másikat a parkolóházért, és sze-
repelt az újságokban, ami végül legendává tette. A szakszerve-
zetnek igaza lett a fényképet illetően. Sokat segített.

Meghalni egy cigarettáért

Megjöttek a producer megjegyzései. A forgatókönyvíró a telefonján látta az e-mailt az alábbi tárgymegjelöléssel: *Megjegyzések.* A telefon úgy volt beállítva, hogy előnézetben mutassa a levél első néhány szavát: *Ismételten köszönöm, hogy időt szakítottál a mai ebédre.* A forgatókönyvíró elkapta tekintetét a telefonról. Nem nyitotta meg az e-mailt. Nem olvasta tovább. Inkább hátrálva leült a kanapéra, feszesen, egyenes derékkal. Olyan mereven ült, mint egy piszkavas, tenyerével a térde mellett a kanapéra támaszkodott.

A felesége az ölébe ült. Alig egy órája ért vissza a szépségszalonból, még mindig a délutáni szettjét viselte, a krémszínű selyemblúz be volt tűrve a tengerészkék vászonszoknya korcába. A szoknya épp térd fölött ért véget, és ha leült benne, főleg valaki ölébe, egy kicsit feljebb csúszott. A nő sem a blúz, sem a szoknya alatt nem viselt semmit. Azon tűnődött, vajon a férje észreveszi-e. *Valószínűleg nem,* vonta le a következtetést. *Még nem.* Látszott, hogy valami nagyon lefoglalja. A nő meggyújtott egy cigarettát, és a férfi ajkai közé illesztette.

– Köszönöm – mondta a férj.

– Mesélj az ebédről! – mondta a feleség.

– Ő volt ott, és még három felső vezető. Azt hiszem, legalább az egyik pénzügyi igazgató volt.

– Hogy ment?

– Pont úgy, ahogy sejtettem.

– Pont úgy?

– Többé-kevésbé – mondta a férfi. – Valószínűleg még annál is rosszabbul.

– Elmondtad a beszédet? – kérdezte a nő.

– Milyen beszédet?

– A halálról.

– Az csak egy sor az első bekezdésben. Nem igazán egy beszéd.

– Elmondtad?

Kimérten, még mindig egy kicsit dacosan bólintott.

– Elmondtam neki – mondta –, hogy évekig szófogadó bértollnok voltam, és mindig megcsináltam, amit akart, olyan gyorsan, amilyen gyorsan szüksége volt rá, néha egyik napról a másikra, sőt olykor menet közben, amíg forgott a kamera. Elmondtam, hogy sosem hagytam cserben, és hogy dollármilliókat kerestem neki. Ezért összességében úgy vélem, kiérdemeltem a jogot arra, hogy ez alkalommal szabad kezet kapjak. Mert végre megvan a nagy ötlet, ami az embert talán az életben csak egyszer találja meg. Azt mondtam neki, hogy inkább meghalok, de ebben az esetben nem kötök kompromisszumot.

– Erről beszéltem!

– Ez csak egy sor.

– Sok felvezetéssel.

– Erős első bekezdés, egyetértek.

– Hogy fogadta?

– Nem igazán tudom. Kimentem cigizni. Mire visszamentem, úgy tűnt, nincs baj. Azt mondta, elsőre azt gondolta, megőrültem, és nem értem az érveit, de most ráébresztettem, hogy lehet, nekem volt igazam, és ő tévedett.

– Mivel volt gondja?

– Az elejétől fogva a brit hadseregről és az első világháborúról volt szó, nem igaz? Így volt, vagy nem? A legelső pillanattól fogva, ahogy megfogant az ötlet. Te voltál a legeslegelső ember, akinek beszéltem róla.

– Igazából szerintem az az előző feleséged lehetett. Vagy egy még korábbi. Ez az ötlet már rég megszületett, amikor én színre léptem.

– Felmerült valaha is bármilyen más téma, mint az első világháborús brit hadsereg?

– Nem tetszik nekik?

– Azt mondta, a stúdió kérdi, hogy egy angol vidéki kúriában játszódó dráma lesz-e.

– Mit válaszolt nekik?

– Azt felelte, hogy meglehet, angol vidéki kúriákban élő emberekről szól, de nem a kúriákban játszódik. Nyilvánvalóan. Hanem lövészárkokban, Franciaországban vagy Belgiumban, vagy bárhol, ahol lövészárkok voltak.

– Tehát ez gond?

– Azt mondta, a stúdió szerint a közönség jobban rezonálna a polgárháborúra, igazi amerikaiakkal.

– Értem.

– Emlékeztettem, hogy van egy központi szál a történetben, amelynek a fő figurája egy repülőgép-pilóta. A technológia gyermekkora egy óriási metafora. Ezt a szálat semmilyen módon nem lehet ejteni vagy átalakítani. Emlékeztettem, hogy a polgárháború idején a repülőgépet még fel sem találták.

– Azt hiszem, hőlégballonjaik voltak.

– Az egyáltalán nem ugyanaz. A hőlégballon ehhez képest lassított felvétel. Nekünk sebességre, indulatra, zajra és dühre van szükségünk. Éreznünk kell, hogy valami új és veszélyes létrejöttének a küszöbén állunk.

– Erre mit mondott?

– Egyetértett velem, a stúdió ötlete szerinte is marhaság. Azt mondta, csak azért adja tovább az üzenetet, mert felülről jött, de sosem vette komolyan. Egyetlen percig sem. Teljes mértékben az én oldalamon áll. Nemcsak a repülőgépek, de az ötletek miatt is. Túl modernek. Ez az egész ötven évvel a polgárháború után játszódik. A szereplők tisztában vannak olyan dolgokkal, amelyeket ötven évvel ezelőtt még nem tudtak az emberek.

– Igaza van, tudod. Az ötletek modernek. És ez átjön a munkádból, még neki is. Ez remek írás, drágám.

– Ő is ugyanezt mondta. A drágám nélkül. Azt mondta, ez a legjobb írásom eddig, és én négy szóban el tudom mondani, amihez másoknak egy bekezdés kell. Azt mondta, át tudok adni üzeneteket még egy olyan öreg, cinikus pénzeszsáknak is, mint ő, számára is kikristályosodik, hogy a karaktereim gondolatai hogyan építették a szemünk láttára a háború után világot.

– Hízelgő.

– Nagyon.

– Igaza van, tudod – mondta a feleség újra. – Magától értetődő. Egyértelmű, hogy a háború utáni világot új ötletek építették fel, és ezek elkerülhetetlenül magában a háborúban fogantak. De látni, ahogy a történelem a szemünk előtt zajlik, fantasztikus. Remekmű lesz. Egyenes út a legjobb film díjáig.

– Leszámítva, hogy ő a második világháború utáni világról beszélt. Tulajdonképpen az ötvenes évekről. Szerinte a történetnek a koreai háború alatt kellene játszódnia, valódi amerikai szereplőkkel. És lövészgödrökről beszélt, nem lövészárkokról. Szerinte a lövészgödrök jobbak. Szükségszerűen sokkal bensőségesebbek, ami remek indokot ad arra, miért csak egy-két színésszel vegyük fel a jeleneteket. Nincsenek statiszták, nincs semmiféle badarság a háttérben. Egy vagyont spórolunk vele. Azt mondta, hogy ha csak egy-két pasas lézeng egy lövészárokban, az furcsán néz ki. Mindenkinek az jutna eszébe, hogy kik ezek? Lógnak, vagy melléjük szegődött a szerencse, és őket hagyták hátra őrködni? Szerinte ez mindenképpen magyarázatra szorulna, és hosszú perceket kellene erre pazarolnunk. Az a minimum, hogy ki kellene mondatnunk velük: „nem, nem vagyunk dezertőrök". Kemény feladat lenne megszerettetni őket a nézővel. Viszont a lövészgödröt nem kellene magyarázni. Ott húzták meg magukat. Ketten vannak. Egyszerre ugrottak be. Lehet, hogy nem is lövészgödör, hanem bombatölcsér. Talán egy kicsit szűkös, úgyhogy már az elejétől fogva bosszúsak a másik miatt. Ki kell találniuk, hogyan tudnak kijönni egymással. Azt mondta, az ötletek modernitása és futurizmusa nem értelmezhető az első világháborúban. Muszáj az ötvenes éveknek lennie.

Azt mondta, még így is megtarthatnánk a repülőket. Ekkor fejlesztik ki a sugárhajtású vadászrepülők technológiáját. Ugyanaz a fajta nyomás helyeződött rájuk. Csupán modernebb sisakot kellene adnunk a pasasra. A szöveg akár maradhat is ugyanaz. Azt mondta, hogy vannak dolgok, amelyek soha nem változnak. Bizonyos igazságok örök érvényűek.

– Hogy reagáltál?

– A tudomására hoztam, hogy nagyon dühös vagyok, és kimentem egy újabb cigire.

– Mennyi ideig voltál kint?

– Nem tudom. Tíz percig? Talán több. Ez egy nagy étterem. Már az előtérig is sokat kell sétálni az asztaltól.

– Nem kellene ilyet tenned. Egyértelműen rólad beszélnek az asztalnál, amíg távol vagy. Ő és az emberei.

– Szerintem főképpen hívásokat intéznek ilyenkor. Egyszerre több dolgot is futtatnak. Valószínűleg ilyenkor törik össze más írók álmait. Láttam, hogyan fejezik be mindig, amikor visszaérek. Olyan lelkiismeretfurdalás-féle ül ki az arcukra.

– Óvatosnak kellene lenned.

– Egyébként az sem számít, ha rólam beszélnek. Nem fognak megtörni. Ez az én projektem. Átvihetem máshová.

– Hová?

A forgatókönyvíró nem válaszolt.

A felesége közelebb bújt hozzá. Mellkasát a férfiéhoz nyomta. Nem viselt melltartót. *Vajon észrevette már?* A nő úgy érezte, már fel kellett volna tűnnie neki. Ő legalábbis már felfigyelt rá. Csak egy vékony selyemréteg választotta el őket egymástól.

– Ami a lövészgödröket illeti, igaza lehet – mondta a férjének.

– De hát épp az a lényeg, hogy egy lövészárokban az angol társadalom teljes szerkezete megjelenik! A tiszteknek szolgáik és saját körletük volt. Ez egy mikrokozmosz. Szükségünk van erre az alapvetésre. Ez adja a történet keretét.

– Viszont a lövészgödör az amerikai társadalmat tudja leképezni ugyanígy. Gyors, piszkos, és ideiglenes. Két nemrég érkezett ember, akiket a helyzet kényszerít az együttműködésre. Mint egy önálló metafora. Az egyiket mondjuk a Harvardról, a Princetonról vagy valami hasonló helyről sorozták be, a másik meg egy utcakölyök Bostonból vagy Bronxból. Elsőre nincs bennük semmi közös.

– Klisé.

– Ahogy egy sárral keveredő vidéki dráma is az. Meg tudtad írni úgy, hogy működjön. Jó író vagy, bármit meg tudsz írni úgy, hogy működjön.

– De nem ez a legrosszabb – folytatta a férfi.

– Mi van még?

– Azt mondta, hogy a hős nem lehet magányos, és muszáj, hogy már az első jelenettől legyen egy társa.

– Tényleg?

– Azt mondta, az elméje hátsó bugyraiban végig egy Koreában játszódó, a bajtársiasságról szóló filmet látott, és a vázlatom olyan, mint amikor a jó szív rossz testbe kerül. Azt mondta, ez a történet nem egy angol férfiról szól. Ez a sztori két amerikaié. Azt mondta, néha előfordul, hogy az író nem egészen érti, mit is írt.

– Mit mondtál erre te?

– Semmit. Szóhoz sem jutottam. Megint kimentem cigizni.

– Ez alkalommal mennyi időre?

– Ugyanúgy tíz percre. Talán kicsit többre. De ne aggódj! Miről is beszélhettünk volna még? Hirtelen rájöttem, hogy baromira fordítva ülöm meg a lovat. Azt hittem, tartoznak nekem ezzel, amiért mindig jó munkásuk voltam. Ők viszont azt gondolták, hogy valami mással jönnek nekem, és nem azzal, hogy az arcomba röhögnek, és egyértelműen visszautasítanak. Udvarias kilépési stratégiát kerestek. A legideálisabb az lenne, ha a művészi koncepció különbözőségeire hivatkozva én vonnám vissza a javaslatomat, ezt akarták elérni. Az mindenkinek megkönnyítené a dolgát. Úgyhogy a végletekig átbogarászták az egész tervet, és próbáltak megtörni.

– Sikerült nekik?

– Kiderült, hogy nem volt igazam. Komolyan gondolták. Miután visszaértem, elkezdtem arról beszélni, hogy már a kezdetek kezdetén mindannyian megállapodtunk abban, hogy a művészi vízión nem változtatunk soha, semmilyen körülmények között, erre most tessék, hol tartunk: két legjobb havernál Koreában. De ő még az elején leállított, és azt mondta, persze, ne aggódjak, megérti. Azt mondta, biztosan tudom, hogy a filmipar történetében minden egyes ötlet kopik egy kicsit azután, hogy kipattan az író fejéből, és összeütközik a valósággal. Még a filmiskolákban tanulmányozott, híres forgatókönyvek is változtak. Előfordult, hogy a titkárnő is hozzáírt a szöveghez. Ez arról szól, hogy akkor és ott mi működik.

– Mit mondtál erre?

– Semmit.

– Nem mentél ki újra, ugye?

– Akartam. Szerettem volna valamilyen módon egyértelműsíteni, hogy tiltakozom. De nem kellett kimennem. Még nekem sem. Ezért az asztalnál maradtam. Úgy vette, hogy akkor felőlem még beszélhet. Azt mondta, visszaszerezhetem a filmet azzal, ha írok egy nagy haláljelenetet.

– Visszaszerezheted?

– Azt mondta, újra az enyém lehet.

– Ki halna meg?

– A barát. A hősnek egyértelműen egyedül kell maradnia az utazása utolsó állomására. Úgyhogy a barátnak mennie kell a kilencvenedik oldal környékén. Azt mondta, biztos benne, hogy ebből simán hazafutást csinálok. Nemcsak a végső izgalom, hanem a mögöttes okok miatt is. Mi hajtja ezt a fickót a végzete felé?

– Mit mondtál?

– Semmit. Zsongott a fejem. Először egy teljesen felesleges második karaktert erőltetnek a filmembe, amitől az egész valójában már nem is az én alkotásom, aztán megmondják, hogy újra az enyém lehet, ha kiírom a betolakodót. Megdöbbentően freudinak tűnt az egész. De hisz abban, hogy meg tudom csinálni. Azt mondta, ez lesz a legnagyszerűbb munkám. Ami ironikus volna. Talán az Írók Szövetsége ad majd nekem egy különdíjat a legjobb producer által erőltetett mellékszereplő-halálért.

– Mi történt ezután?

– Elköszöntem. Kihagytam a desszertet. Hazajöttem.

– Örülök – mondta a nő.

Meghitten közelebb húzódott.

– Viszont sajnálom, hogy a világ sosem fogja látni ezt a jelenetet – mondta. – Ezzel kapcsolatban legalábbis igaza volt. Tényleg simán hazafutást csináltál volna belőle. A nemes önfeláldozás tökéletes példája. Igazán emlékezetes lenne.

– Nem – felelte a férfi. – Nem lenne ilyen nagy ívű. Azt hiszem, egyszerűre írnám. A lényeges dolgok addigra már megtörténnek. A barátságuk már sziklaszilárd. Azt hiszem, az utolsó jelenetnek tényleg egy lövészgödörben kell játszódnia. Csak ők ketten. Azért jutottak idáig, mert erősek. És most a barát azért lép ki a képből, mert elgyengül. Ez a dinamika. Azt hiszem, így kell egy csatafilmnek működnie. A személyiséget először a nagy dolgok, végül a kicsik bontják ki előttünk.

– Hogy érted, hogy elgyengül?

– Ez az ötvenes évek, ne felejtsd el! Még a stúdió sem szeretné a napjainkba helyezni a történetet. És akkoriban az emberek cigarettáztak. A barát is. Ott van a lövészgödörben, és elfogy a cigije. Kezd nyugtalankodni. A film már így is korhatáros lesz, mivel dohányoznak benne, úgyhogy nagyjából húsz méterre tőlük feküdhet egy csonkolt holttest. Az egyik csapattársuk az, akiről a barát tudja, hogy láncdohányos volt, ami majdnem biztosan azt jelenti, hogy lehet akár egy teli doboz cigaretta is a zsebében.

– Húsz méterre a gödör szélétől?

– És a közelben leselkedik egy ellenséges mesterlövész.

– Marad vagy megy?

– Megy – mondja a forgatókönyvíró. – Húsz méter oda, húsz vissza. A mesterlövész leszedi. Nem nagy jelenet, mégis monumentális. Dohányozni akart. Ennyi volt az egész. Egy apró emberi gyengeség, de benne van az elszántság is, hogy úgy élje az életét, ahogy ő akarja, vagy ne is éljen egyáltalán. Ami így utólag megmagyarázza és érthetővé teszi a korábbi cselekedeteit. Teljes egészében csak a halála pillanatában ismerjük meg.

– Ez nagyon szép – mondta a felesége.

Még közelebb húzódott, és még jobban befészkelte magát a férfi ölébe.

– Szóval igazából ez egy nagyon aprócska döntés. Ugye? Angol kiejtés1916-ban vagy amerikai kiejtés1952-ben. Számít ez?

A férfi nem válaszolt. Észrevette.

Két évvel és hét hónappal később a film megjelent a mozikban. Nem az első világháborúban szolgáló brit hadseregről szólt. Az eredeti elképzelés minden lehetséges módon megváltozott. A forgatókönyvíró nem vetette magát vonat elé. Helyette másik házba költözött, feljebb a völgyben. Aztán nyolc hónappal később a barát szerepét alakító színész megnyerte az Oscar-díjat legjobb mellékszereplő kategóriában. A beszédében végig arról áradozott, mennyire mesés volt a forgatókönyv. Aztán egy órával később a forgatókönyvíró megkapta a maga díját a legjobb eredeti forgatókönyvért. A beszédében köszönetet mondott a feleségének és a producerének, a két sziklaszilárd pontnak az életében. Miközben lefelé jött a színpadról, felemelte a szobrocskát, mint egy nehéz súlyzót, és abban a pillanatban úgy érezte, vannak kompromisszumok, amelyekkel könnyű együtt élni. Sőt egyre könnyebb minden egyes fogadás, interjú vagy az ügynökétől érkező telefonhívás után, mert életében először volt lehetősége eldönteni, mit csináljon, mikor és mennyiért. Múltak az évek, és nagy neve lett a szakmában, aztán ő vált a rangidőssé, majd a guruvá. A feleségével házasok maradtak. Remek életük volt. A forgatókönyvíró őszintén boldog volt.

Sosem tűnt fel neki, hogyan is köttettek a kompromisszumai a régi időkben. A cigarettaszünetek ölték meg a művészi ambícióit. Tízpercnyi űr, amelyet ki kellett használni. A producer ötlete volt. Csinálta már ezt korábban is makacsabb írókkal. Amint a forgatókönyvíró kisétált dohányozni, a producer felhívta a férfi feleségét, hogy jelentse a legújabb zsákutcát, és tanácsot kérjen, mit mondjon rövid távon, hogy lebeszélje az öngyilkosságról. Ezután felépítették a stratégiát, hogy a feleség mit beszéljen át este a férjével, szigorúan csak a férfi érdekében, elvégre rengeteg pénz és komoly presztízs forgott kockán. A producernek az volt a tapasztalata, hogy egy kis zsörtölődést hamar elfelejt az ember, ha egy aranyszobrocskát tisztogathat otthon. Ebben az esetben a feleség valóban úgy gondolta, hogy a producernek igaza van, és az is volt.

A kígyóevő és a számok

Számok. Százalékok, arányok, átlagok, középértékek, mediánok. Bűnügyi ráta, eredményességi ráta, megoldott ügyek százaléka, növekedés, csökkenés, eredmény, bemeneti adat, kimeneti adat, teljesítmény. A huszadik század végére a rendőri munka semmi másról nem szólt, mint számokról.

Ken Cameron nyomozó őrmester imádta a számokat. Azért tudtam ezt, mert Cameron volt a kiképzőtisztem abban az évben, amikor meghalt. Azt mondta nekem, hogy a számok a mi megváltóink. A számok tették olyan egyszerűvé a zsaruk életét, mint amilyen egyszerű volt a bankároknak, ügynököknek vagy gyárigazgatóknak. Nem az ügyeken kell dolgozni, hanem a számokon, mondta. Ha jók a számok, jó teljesítményértékelést kapunk. Ha jó értékelést kapunk, kitüntetnek. Ha kitüntetéseket kapunk, elő fognak léptetni. Az előléptetés pedig jó fizetést és nyugdíjat jelent. Egész életedben kényelemben élhetsz, mondta, csupán a számok miatt. Igazi kényelemben. Duplán kényelemben, helyesbített, mert nem téped a hajad olyan homályos, megfoghatatlan marhaságok miatt, mint mondjuk a biztonságos utcák vagy az életminőség. Számokkal foglalkozol, és a számok sosem hazudnak.

Észak-Londonban dolgoztunk. Vagy legalábbis ő ott dolgozott, engem pedig oda rendeltek ki gyakorlatra. Én majd továbblépek, de ő már három éve ott volt, és úgy tűnt, marad is, Észak-London pedig remek hely volt, már ami a számokat illeti. Hatalmas körzet sok bűnténnyel és hiperérzékeny lakossággal, amely nem tűrte jól, ha rosszabb bánásmódban részesült, mint a London többi részén élők. A helyi tanács tagjai állandóan fel voltak háborodva. Más iskolákhoz és közlekedési lehajtókhoz hasonlították a sajátjaikat. Minden a vélt hátrányokról szólt. Ha egy meghibásodott mozgólépcső már három napja állt a West Finchley metrómegállónál, mindenki jobban járt, ha nem derült ki, hogy a Tooting Becnél két nap alatt megjavítottak egyet. Az ilyesfajta dolgok szülték a számokat, mondta nekem Cameron. Mert az ostoba, unalmas adminisztrátorok megtanulták a paranoiás érveket számokkal visszaverni. Elvégre az Északi Vonal hatvanhárom százalékos pontossággal jár errefelé, és csak hatvanegy százalékban pontos arrafelé, közölnék.

Vagyis fogjátok be, mondanák.

Nem kellett sok idő hozzá, hogy a rendőri munka is behódoljon a trendnek. Elkerülhetetlen volt. Mindent elkezdtek mérni. Nyilvánvaló védekezési taktika volt ez a főnökeink részéről. *Mi az átlagos reakcióidő egy segélyhívást követően?*, szól a kérdés. *Tizenegy perc Tottenhamben, tanácsos asszony, ellenben tizenkettő perc Kentish Townban*, hangzik el büszkén, miközben a főnökeink húsos arcára kiül egy üres, de önelégült kifejezés. Még szép, hogy hazudtak. A Kentish Town-i főnökök is hazudtak. Verseny az abszurditás irányába. Egyszer ellőttem Cameronnak azt a poént, hogy hamarosan negatív reakcióidőket fogunk látni: a segélyhívásra tizenegy perccel azelőtt reagálunk, hogy beérkezne. De Cameron csak bámult rám. Azt hitte, megőrültem. Annál sokkal komolyabban vette ezt a témát, mint hogy jó néven vegyen egy ennyire égbekiáltó butaságot, akár csak viccből is.

De természetesen azt elismerte, hogy a számokkal lehet játszani.

Szakavatott értőként gyűjtötte a példákat a számokkal való machinációra. Voltak olyanok, amelyeket csak a távolból figyelt meg, például a segélyhívások esetén. Tudta, hogyan ügyeskedtek a nyilvántartással. A híváskezelőktől elvárták, hogy legyenek egy picit pontatlanok az időpontokat illetően. Amikor odakint, a való világban dél volt, odabent, a vészhelyzeti kezelőpultnál négy perccel múlt dél. Amikor a helyi járőrautót kiküldték egy címre, már akkor jelentette rádión, hogy odaért a helyszínre, amikor még három utcával odébb járt. Így aztán a lassú, húszperces reakcióidő tisztességes tizenkét percesként lett elkönyvelve. Mindenki nyert.

Cameron a saját számaihoz ennél kifinomultabban viszonyult. Folyamatosan a teljesítmény és az eredményesség közötti kényelmetlen egyensúly elemzésével foglalta el magát. Mivel tudja bármely zsaru a legnyilvánvalóbban növelni a megoldott ügyeinek arányát? Ha egyáltalán nem vállal ügyeket, vagy csak olyan aranyat érő zsákolásokat, amelyeknek a végén garantáltan kattan a bilincs. Úgy magyarázta el az egészet, mint egy zen mester: Tegyük fel, hogy évente csak egy ügyed van! Tegyük fel, hogy megoldod! Mennyi a megoldott ügyeid rátája? Száz százalék. Tudtam a választ persze, mert jó voltam számtanból. De csak a vicc kedvéért feltettem a kérdést: mi van, ha mégsem oldod meg? Akkor az arány zéró. De nem húzta fel magát annyira, mint amennyire gondoltam. Helyette rám vigyorgott, mintha annak örülne, hogy fejlődést mutatok. Mintha végre érteném, mire megy ki a játék. Pontosan, mondta. Elkerülöd azokat az ügyeket, amelyeket biztosan nem tudsz megoldani, és lecsapsz azokra, amelyekről tudod, hogy meg fogod oldani.

Már akkor észre kellett volna vennem. Az ügyek, amelyekről tudod, hogy meg fogod oldani. De nem esett le. Még nem láttam tovább az orromnál. És ő nem nagyon hagyott nekem időt a gondolkodásra, mert azonnal rohant tovább, egyenesen a fő problémához, ami a teljesítmény. Az egészen bizonyos, hogy súlyos pontokat lehet begyűjteni, ha a megoldott ügyeid rátája hetvenöt százalék. Ez egyértelmű volt. De ha ezt a számot úgy érted el, hogy négyből három ügyet oldottál meg, azzal súlyos pontokat veszítettél teljesítmény hiányában. Ez is egyértelmű volt. Négy ügy egy évben abszurdan kevés. Negyven ügy is. Akkoriban Észak-Londonban egy-egy nyomozó ügyek százait vizsgálta évente. Ez volt Ken Cameron nagy problémája. Az egyensúly a teljesítmény és az eredményesség között. A jó teljesítmény rossz eredményességi rátát jelentett, a jó eredményességi ráta pedig rossz teljesítményt. Csak annyit tett hozzá: „Látod?" És ez úgy hangzott, mintha a világ minden terhe az ő vállát nyomta volna. De félreértelmeztem. Mert valójában inkább azt mondta: „Nem vagyok én olyan rossz fiú, amiért ezt csinálom." Már akkor látnom kellett volna. De nem láttam.

Aztán, még mindig a zen mester üzemmódban, mondott nekem egy viccet. Két pasas megy az erdőben. Észreveszik, hogy jön egy medve. *Fuss!*, kiáltja az első pasas. *Ez nevetséges,* mondja a másik. *Nem tudsz gyorsabban futni, mint egy medve.* Erre érkezik a felelet: *Nem kell gyorsabban futnom a medvénél, elég, ha nálad gyorsabban futok.* Már sokszor hallottam ezt a viccet. Azt hiszem, egy pillanatra azon gondolkodtam el, ki is mesélte nekem először. Ezért nem úgy reagáltam, ahogy azt Cameron elvárta. Aztán összeszedte magát, és elmagyarázta, hogyan is érti. Nem akart egymaga extrém magas számokat elérni. Csak épp annyit, amennyivel a másodikat legyőzheti. Csupán egy vagy két ponttal, éppen csak a szükségessel. Amit úgy is elérhet, ha közben hihető egyensúlyt tart fenn az eredményessége és a teljesítménye között.

Amit meg is tud oldani, közölte. Meg kellett volna kérdeznem, pontosan hogyan. Minden bizonnyal várta, hogy felteszem a kérdést, de nem tettem.

A fel nem tett kérdésre a választ aznap leltem meg, amikor találkoztam egy Kelly Key nevű prostituálttal és egy Mason Mason nevű elmebajossal. Külön-külön botlottam beléjük. Először Kelly Key-vel sodort össze az élet. A prostitúció is Észak-London vélt hátrányai közé tartozott. Igazság szerint sok prostituált dolgozott itt, de megközelítőleg sem annyi, mint mondjuk a West Enden. Viszont itt más módon működött az ipar, sokkal inkább a képedbe tolták. Itt szem előtt voltak a kurvák, míg London nyugati részén mind bent ültek valahol, és várták a telefonhívást. Sosem értettem igazán, pontosan mi is idegesíti annyira az itt lakókat. Hogy a kurváik olcsóbbak? Vagy csinosabb lányokat akartak? Akárhogy is, mindig napirenden volt, hogy meg kell tisztítani az utcákat, főként az Islingtontól északra eső részeket és Haringey egész területét. Az éppen dolgozó lányokat berángatták. Ott ültek a rendőrőrsökön, és úgy tűnt, egyszerre érzik magukat teljesen otthon és teljesen nem odaillőnek.

Egyik reggel épp a kantinból értünk vissza, és megláttuk az ott ücsörgő Kelly Key-t. Ken Cameron szemlátomást villámdöntést hozott, és őt használta fel arra, hogy mindenféle alapvető dolgot megtanítson nekem. Félrehúzott, és elkezdett magyarázni. Először is, semmit nem írunk le. Ha bármit lejegyzünk, azzal a lány bekerül a rendszerbe, ami növeli ugyan a teljesítményünket, de lerombolja az eredményességi rátánkat, mert az üzletszerű kéjelgéssel kapcsolatos ügyekkel nagyon nehéz elbánni. De minél tovább titkoljuk, hogy érdektelen a számunkra, szegény Kelly Key annál inkább aggódik majd, ami remek ingyenszexet eredményezhet, miután végül szabadon engedjük. Csak a kifejezetten rossz zsaru fizet a szexért, tudtam meg Camerontól.

Rossz zsaru. Mármint bizonyos értelemben, gondolom.

Szóval végignéztem, ahogy Cameron Kelly Key-vel fölényeskedik. Késő délelőtt volt, de a lány már a ledér ruháját viselte. Sokat mutatott a lábából és a dekoltázsából is. Annyira nem volt hülye, hogy azonnal felajánlkozzon magától, de keményen adta Sharon Stone-t az *Elemi ösztönből*. Olyan gyorsan keresztezte és nyitogatta szét a lábait, hogy valósággal éreztem a levegő áramlását. Cameron élvezte a kihallgatást és a kilátást is, gondolom. Lerítt róla. Teljesen elemében volt. A fölénye megkérdőjelezhetetlen tény: nagydarab, vaskos, rendíthetetlen ember volt, klasszikus rendőralkat. Negyven körüli lehetett, bár ezt elég nehéz pontosan megítélni olyan férfiak esetében, akik arca ilyen rózsaszín és kerekded. Mindenesetre a mérete, a jelvénye és a kötelékben töltött éveinek száma együttesen sebezhetetlenné tették. Legalábbis mostanáig.

Aztán behozták Mason Masont. Nekünk még hátravolt egyórányi szórakozás Kellyvel, de hallottuk a zavart elöl, a pultnál. Mason Masont nyilvános vizelésért tartóztatták le. Akkoriban az egyenruhás zsarukat gyapjúsoknak hívtuk, mert az egyenruha ilyen anyagból készült. A gyapjúsok általában képesek voltak önállóan is kezelni a nyilvános vizelést, még ha közszeméremsértésig is akarták tolni a vádat. De amikor Mason Masont megmotozták, valamivel több készpénzt találtak nála, mint amennyit az ember általában az utcán hord a zsebében. Kilencven font, új tízesekben. Úgyhogy a gyapjúsok behozták nekünk, hátha megpróbálnánk lopás, rablás vagy akár erőszakos betörés vádjával meggyanúsítani, mert esetleg bántalmazhatott is valakit, hogy megszerezze a pénzt. Remek alkalom egy pontokat érő zsákolásra. A gyapjúsok sem voltak hülyék. Tudták, hogyan egyensúlyozunk az eredményességi rátával és a teljesítménynyel, és persze ők is érdekeltek voltak ebben, mert bár egyes nyomozók egymás között versengtek, a rendőrőrs nagy része mindenkinek besegített. Mindenre akadt egy szám.

Szóval ennél a pontnál Cameron Kelly Key-t takarékra tette, és Mason Masont vette előre a sorban. Félrehúzott, hogy elmagyarázzon néhány dolgot. Először is, Mason Mason volt a srác igazi neve. Ez állt a születési anyakönyvi kivonatán. Széles körben elterjedt az a nézet, miszerint az apja vagy részeg, vagy zavart, vagy egyszerre mindkettő volt az anyakönyvi hivatalban, és Masont írt mindkét rubrikába, a vezetéknévhez és a keresztnévhez egyaránt. Másodsorban, Mason nem azért végezte nyilvánosan a dolgát, mert magatehetetlenül részeg vagy hajléktalan lett volna. Valójában csak ritkán ivott, és alapvetően ártalmatlan volt. A helyzet úgy állt, hogy bár Mason Tottenhamben született, egy a Spurs stadionjához közeli házban, mégis azt hitte, hogy amerikai, és korábban az Amerikai Egyesült Államok haditengerészeténél, a felderítőknél szolgált, akik magukat kígyóevőknek hívták. Ez a tévképzet megrendíthetetlen hittel élt benne, mondta Cameron. Észak-London tele van elkötelezett Elvis-imitátorokkal, countryénekesekkel, a polgárháború csatáit újrajátszó amatőrökkel, Omaha Beach-rajongókkal és retró Cadillac-mániásokkal, úgyhogy Mason nem lógott ki nagyon a sorból a szokatlan énképével. Viszont annál gyakrabban vezetett mindez furcsaságokhoz. Azt hitte, Észak-London utcái valójában Bejrút romjai, és úgy vélte, a tengerészgyalogosok nehéz életének természetes velejárója, hogy a törmelékeken átlépkedve egy épület romos maradványainak tövében csurgatnak egyet. Folyamatosan jelvényeket, kitüntetéseket és tetoválásokat gyűjtött. Az egész testét kígyótetkók borították, a mellkasán lévőt a következő szavakkal egészítették ki: *Ne taposs rám!*

Miután minden információt magamba szívtam, visszapillantottam Masonre, és észrevettem, hogy a bal fülében lóg egy kígyós fülbevaló. Egészen csinos, szorosan tekeredő, kövér kis darab volt, nehéz aranyból. A tetején lévő apró aranykarikába egy hozzá nem illő ezüstkampó fonódott, amellyel a kis ékszer Mason átlyukasztott fülcimpájába kapaszkodott.

Cameron is észrevette.

– Ez új – mondta. – A kígyóevőnk szerzett magának egy újabb csecsebecsét.

Aztán Cameron tekintete üressé vált egy pillanatra, mint a tévé képernyője, amikor csatornát váltasz.

Látnom kellett volna előre.

Odébb küldte Kelly Key-t, aki így magányosan ücsörgött, amíg Cameron Masonnek szentelte a figyelmét. Először rutinkérdésekkel hozta zavarba, kezdve azzal, hogy mi a neve.

– Uram, Mason tengerészgyalogos, uram! – mondta a fickó, éppúgy, mint egy tengerészgyalogos.

– Ez vezetéknév vagy keresztnév?

– Uram, mindkettő, uram! – felelte a fickó.

– Születési dátum?

Mason elhadarta az évet, hónapot és napot. Kiderült, hogy nagyjából annyi idős, mint amennyinek Cameront tippeltem. Alkatra is nagyjából ugyanolyan volt, mint Cameron, ami elég furcsa egy csavargóhoz képest. A legtöbbnek még a bordái is kilátszanak, Mason Mason mégis magas volt, és testes. Hatalmas lapátkeze volt, és a nyaka szélesebb volt, mint a feje. A kalózokat idéző fülbevaló viszont sehogy sem illett a képbe. De már értettem, miért gondolták azt a gyapjúsok, hogy az erőszakos rablás vádja megállhatja a helyét. A legtöbb ember valószínűleg inkább azonnal átadná mindenét Mason Masonnek, mint hogy beleálljon a harcba.

– Születési hely? – kérdezte Cameron.

– Uram, Muncie, Indiana, uram! – felelte Mason.

A beszéde egyértelműen arról árulkodott, hogy londoni a srác, de az álamerikai kiejtése elég lenyűgöző volt. Nyilvánvalóan sokat tévézett, és sok időt töltött a helyi plázák mozijaiban. Keményen dolgozott azon, hogy tengerészgyalogos váljon belőle. A szeme is éppolyan volt. Lapos, elővigyázatos, kifejezéstelen tekintet. Pont mint egy kopasz. Biztosra vettem, hogy nem csak egyszer látta az *Acéllövedék* című filmet.

– Muncie, Indiana – ismételte Cameron. – Nem Tottenham? Nem Észak-London?

– Uram, nem, uram! – ugatta Mason. Cameron kiröhögte, de Mason arca továbbra is kifejezéstelen maradt, mintha épp most élte volna túl a kiképzőtábort.

– Katonai szolgálat? – kérdezte Cameron.

– Uram, tizenegy év a tengerészgyalogság kötelékében, uram.

– Hűség mindenekelőtt?

– Uram, igen, uram!

– Honnan van a pénz, Mason?

Hirtelen feltűnt, hogy amikor valakinek ugyanaz a vezetékneve és a keresztneve, nagyon nehéz árnyalatokat kifejezni. Például tegyük fel, hogy azt mondom Cameronnak: „Hé, Ken!" Ez barátságosan hangzik. De ha azt mondanám, „Hé, Cameron!", máris vádlónak tűnnék. De Mason Mason esetében ez mit sem változott.

– Nyertem – felelte Mason Mason. Ezúttal mogorva londoninak hangzott.

– Lóversenyen?

– Kutyafuttatáson. Haringey-ben.

– Mikor?

– Tegnap este.

– Mennyit?

– Kilencven fontot.

– A tengerészgyalogosok járnak kutyafuttatásra?

– Uram, úgy vélem, a felderítő tengerészgyalogosok a helyiek közé szoktak vegyülni, uram – Most megint a kopasz beszélt belőle.

– Mi a helyzet a fülbevalóval? – kérdezte Cameron. – Új, nem igaz?

Mason megérintette az ékszert, miközben beszélt.

– Ajándék volt egy hálás civiltől, uram.

– Miféle civiltől?

– Egy koszovói nőtől, uram.

– Miért kellett hálásnak lennie?

– Majdnem etnikai tisztogatás áldozatává vált, uram.

– Kinek a keze által?

– A szerbeké által, uram.

– Nem a bosnyákok voltak?

– Bárki is volt, uram, én nem kérdeztem.

– Mi történt? – érdeklődött Cameron.

– Társadalmi diszkrimináció esete állt fenn – mondta Mason. – A gazdagnak ítélt embereket különleges kínzásoknak vetették alá. Egy családot akkor tekintenek gazdagnak, ha van ékszer a feleség birtokában. Az ékszert általában elvették, és a férjet arra kényszerítették, hogy lenyelje. Aztán megkérdezték a feleséget, kéri-e vissza. A feleség általában összezavarodott, és bizonytalan volt az elvárt választ illetően. Néhányan igent mondtak, amire a támadók felhasították a férj hasát, és kényszerítették a nőt, hogy vegye ki ő maga az ékszert.

– És te megakadályoztad, hogy ez megtörténjen?

– Én és az embereim, uram. Fedezékből bekerítettük az egyszerű hajlékot, és leszedtük a támadókat. Szerény háztartás volt, uram. A nőnek csak egy pár fülbevaló volt a birtokában.

– És ő neked adta.

– Csak az egyiket. A másikat megtartotta.

– Adott neked egy fülbevalót?

– Hálából, uram. Megmentettük a férje életét.

– Mikor történt mindez?

– Uram, a műveleti napló múlt csütörtökön hajnali négy órakor rögzítette a bevetést.

Cameron bólintott. Otthagyta Mason Masont a pultnál, engem pedig félrehúzott a sarokba. Egy vagy két percig versenyeztünk azon, vajon ki tudja többféleképpen kifejezni, hogy nincs ki mind a négy kereke. Nem ő a legélesebb kés a fiókban, nem állt kétszer sorba, amikor az észt osztották, meg ilyenek. Később rosszul éreztem magam emiatt. Látnom kellett volna, mi lesz ebből.

De Cameron máris egy újabb, hosszú kalkulációba kezdett. Szinte már metafizikai magasságokba emelkedett az összetettségét illetően. Ha ma benaplóznánk egy újabb esetet, a teljesítményértékünk egyértelműen emelkedne. Ha meg is oldjuk, az eredményességi ránk is minden kétséget kizáróan emelkedne. A kérdés az, hogy az eredményességi ránk gyorsabban nőne-e, mint a teljesítményértékünk, vagyis megéri-e. Úgy tűnt, ez az egyenlet titokzatos számításokat igényel, amihez én kevés vagyok, csupán egy főiskolás barom. De Cameronnak egyértelműen volt egy ide illő, már bevált számítása. Azt próbálta előadni, hogy mindig megéri az eset benaplózása, ha tudod, hogy meg fogod oldani. Abban a pillanatban támadt egy olyan érzésem, hogy ez csupán egy nem matematikai logikán alapuló babona, de nem tudtam volna bizonyítani. Tulajdonképpen még most sem tudnám, csak ha esti iskolába járnék. De akkoriban sem a számtani részével vitatkoztam, inkább a tényeket vitattam.

– Van itt egyáltalán bármilyen ügy? – kérdeztem.

– Majd kiderül – mondta.

Azt gondoltam, hogy most kiküld egy esti lapért, amelyből megtudhatjuk a haringey-i kutyafuttatás eredményét, vagy átnézeti velem az összes, a közelmúltban készült jelentést, hátha említenek bennük valamit egy kígyós fülbevaló múlt csütörtöki ellopásáról. De nem talált egyik tippem sem. Helyette visszatértünk Kelly Key-hez.

– Keményen megdolgozol a pénzedért, nem igaz? – kérdezte a lánytól.

Látszott, hogy Kelly nem érti, mire akar ezzel a kérdéssel kilyukadni. Nem tudta, együttéreznek-e vele, vagy éppen ajánlatot kap. A sötétben tapogatózott. De mint minden rendes prostituált, ő is előállt egy semleges válasszal.

– Szórakoztató tud lenni – mondta. – Bizonyos férfiakkal.

Azt nem tette hozzá, hogy olyanokkal, mint Cameron. Az túl egyértelmű lett volna. Mi van, ha Cameron csapdát állított neki? De azzal, ahogy mosolygott és az ujjaival megérintette a férfi alkarját, szinte sugározta, így érti. Cameron minden bizonnyal tisztán és érthetően vette az adást, mégis türelmetlenül rázta a fejét.

– Nem randit akarok – jelentette ki.

– Ó! – sóhajtott a lány.

– Csak úgy értem, hogy bizonyára keményen megdolgozol a pénzedért.

Kelly bólintott. A mosolya eltűnt, és láttam, ahogy a valóság tükröződik az arcán. Nagyon keményen megdolgozott a pénzéért. Az üzenet eltéveszthetetlenül átjött.

– Mindenféle undorító dolgokat csinálsz – mondta Cameron.

– Néha igen – felelte erre a lány.

– Mennyit kérsz?

– Kétszáz egy óra.

– Hazudsz! – csattant fel Cameron. – A huszonkét évesek kérnek kétszázat fent nyugaton.

Kelly bólintott.

– Ötven egy gyors menet – mondta.

– Mit szólsz harminchoz?

– Az is mehet.

– És te hogy éreznéd magad, ha az egyik kuncsaft megkopasztana?

– Mondjuk úgy, hogy nem fizetne?

– Mondjuk úgy, hogy ellopna tőled kilencven fontot. Mintha

nem fizetne négyszer egymás után. A semmiért dolgoztál volna rajta és az előző három pasason is, mert a pénznek lába kélne.

– Nem tetszene – mondta a lány.

– Tegyük fel, hogy ellopta a fülbevalódat is!

– A mimet?

– A fülbevalódat.

– Kicsoda?

Cameron átpillantott a terem túlvégén ácsorgó Masonre. Kelly Key követte a tekintetét.

– Ő? – kérdezte. – Őt nem vállalnám. Bolond.

– Tegyük fel, hogy mégis vállaltad!

– Nem vállalnám.

– Csak tételezzük fel! – mondta Cameron. – Tegyük fel, hogy megvolt, és ő ellopta a pénzedet meg a fülbevalódat!

– Az nem is igazi fülbevaló.

– Nem?

Kelly megrázta a fejét.

– Ez egy medál egy szerencsekarkötőről. Ti, pasik reménytelenek vagytok. Nem látjátok? Ezt egy karkötőre kell felrakni azzal a kis hurokkal a tetején. Látszik, hogy a lánc nem illik hozzá.

Mindannyian Mason Mason fülbevalójára meredtünk. Aztán Cameronra néztem. Megint láttam az ürességet a tekintetében, ahogy csatornát vált.

– Letartóztathatnálak, Kelly Key – mondta.

– De?

– De nem foglak, ha belemész a játékba.

– Miféle játékba?

– Add vallomásba, hogy Mason Mason ellopott tőled kilencven fontot és egy karkötőt!

– De hát nem tette!

– Melyik szót nem érted, a játékot vagy a letartóztatást?

Kelly Key nem szólt egy szót sem.

– Kihagyhatod a szakmai hátteredet, ha akarod – tette hozzá Cameron. – Csak mondd azt, hogy betört a házadba, miközben te az ágyban aludtál! Ez mindig beválik.

Kelly Key elkapta a pillantását Masonről, és visszafordult Cameronhoz.

– Utána visszakapom a cuccomat? – kérdezte.

– Miféle cuccodat?

– A kilencven fontot és a karkötőt. Ha azt állítom, hogy ellopták tőlem, eredetileg az enyém volt, nem igaz? Tehát vissza kell kapnom őket.

– Jesszus! – mondta Cameron.

– Ez így fair.

– A karkötőt csak kitaláltuk. Hogyan kaphatnád vissza?

– Nem lehet kitalált. Kell, hogy legyen bizonyíték.

Cameron ismét üresbe kapcsolt, csatornát váltott. Azt mondta Kellynek, hogy maradjon, ahol van, és engem átrángatott a szobán, vissza a sarokba.

– Nem gyárthatunk le csak úgy egy ügyet – jelentettem ki.

Cameron bosszankodva nézett rám, mint egy hülye gyerekre.

– Nem ügyet gyártunk, hanem számot – mondta. – Nagy különbség van a kettő között.

– Hogy lenne? Mason így is börtönbe kerül. Ez nem egy szám.

– Masonnek jobb lesz így – felelte. – Nem vagyok teljesen szívtelen. Kilencven font és egy karkötő egy prostitól: legfeljebb három hónapot fog kapni. Pszichiátriai kezelésben részesül majd. Semmi hátránya nem származik belőle. Újra kap gyógyszereket. Új emberként jön majd ki. Mintha betennénk egy klinikára. Szanatórium állami pénzen. Szívességet teszünk neki.

Hallgattam.

– Mindenki csak nyer rajta – mondta.

Nem szóltam semmit.

– Ne okozz kellemetlenséget, fiam!

Nem okoztam kellemetlenséget. Kellett volna, de mégsem tettem.

Visszavitt oda, ahol Mason Mason ücsörgött. Utasította, hogy adja át az új fülbevalóját. Mason szó nélkül kiszedte a fülcimpájából a hurkot, és odaadta Cameronnak. Cameron átnyújtotta nekem. A kis kígyó meglepően nehéznek és melegnek bizonyult a tenyeremben.

Cameron ezután lekísért a földszintre, a bizonyítékraktárba. Az emberek nyafogása sok dolgot teremtett, már ami a rendőri munkát illeti, jelentette ki. Ez hívta életre a számokat, amelyeket arra használtak, hogy a büdzsét növeljék, ami egyre hatalmasabbra duzzadt. Egy politikus sem tud ellenállni annak, hogy kitömje a rendőrség költségvetését, sem helyi, sem országos szinten. Úgyhogy a legtöbbször el voltunk árasztva pénzzel. A gondot az jelentette, hogyan költsük el. Több gyapjúst küldhettünk volna ki az utcára, vagy megduplázhattuk volna a bűnügyisek számát, de a bürokraták szeretik a maradandó dolgokat, ezért legfőképpen új rendőrőrsök építésére költöttek. Észak-London tele volt velük. Mindenhol nagy betonbunkerekbe botlottál. Körzeteket daraboltak fel és vontak össze, a központokat pedig ide-oda tologatták. Ennek eredményeképpen a bizonyítékraktárak London-szerte tele voltak olyan régi cuccal, amelyet máshonnak hurcoltak át ide. Ősrégi tárgyak, amelyekről már senki nem tudta, melyik ügyhöz tartoztak.

Cameron elküldte a raktáros őrmestert ebédelni, és keresni kezdte a régi, még kézzel írt leltárkönyveket. Azt mondta, a legeslegújabb dolgokat a számítógépbe rögzítik, a kicsit régebbiek mikrofilmen vannak dokumentálva, a húsz vagy harminc évvel ezelőttiek pedig még az eredeti, kézzel írt naplókban lelhetők fel. Ilyen cuccot kell ellopni, mondta, mert egyszerűen csak kitéped a megfelelő oldalt. A mikrofilmből nem lehet egy oldalt sztornózni anélkül, hogy még százat ki ne szednél. És hallotta, hogy ha a számítógépes fájlokból törölsz valamit, az árulkodó nyomokat hagy, még akkor is, ha nem kellene.

Úgyhogy kettéosztottuk a poros, régi leltárkönyvek kupacát, és elkezdtük átnyálazni őket. Olyan szerencsekarkötőt keresünk, amelyet évekkel ezelőtt hagytak el vagy vettek nyilvántartásba. Cameron szerint egészen biztosan fogunk találni egyet. Váltig állította, hogy egy ilyen nagy rendőrségi bizonyítékraktárban minden létező dologból van legalább egy: művégtagok, olajfestmények, fegyverek, faliórák, heroin, karórák, esernyők, cipők, jegygyűrűk, bármi, ami csak kell. És igaza volt. Az általam éppen átfutott könyv szerint a pult mögötti ajtón túl egy Mikulás-barlang terült el.

És én találtam meg a karkötőt is. Ott volt azonnal a harmadik könyvben, amelyen átrágtam magam. Csendben tovább kellett volna lapoznom, de új voltam még, buzgó, és azt hiszem, valamelyest Cameron hatása alá kerültem. Nem akartam kellemetlenséget okozni. Előttem állt még a nagy karrier, és tudtam, mi segítheti ezt, és mi nem. Úgyhogy nem lapoztam tovább. Helyette felkiáltottam:

– Itt van egy!

Cameron becsukta a saját könyvét, és átjött megnézni az enyémet. A bejegyzés így szólt: *szerencsekarkötő, női, egy darab, arany, néhány medál rögzítve*. A részletek valami őskori, rég elfelejtett ügyről szóltak még az 1970-es évekből.

– Kiváló – mondta Cameron.

Maga a raktár éppúgy nézett ki, mint amilyennek egy online rendelős cég hátsó helyiségét képzelem. Mindenféle cucc sorakozott dobozokban, háromméteres polcokon felstószolva. Minden egy átfogó számozási rendszer alapján volt elhelyezve, de a szisztéma kissé összekuszálódott az igazán régi darabok esetében. Egy vagy két percbe is beletelt megtalálni a megfelelő részleget. Aztán Cameron leemelt egy kis kartondobozt a polcról, és kinyitotta.

– Bingó! – kiáltotta.

Nem ékszerdobozban volt, csak valami régi irodai tárolóban, amely nem volt vattával kibélelve. Csak maga a szerencsekarkötő virított benne. Csinos darab volt, meglehetősen nehéz, rikítóan arany. Lógott rajta pár medál: egy kulcs, egy kereszt és egy kis tigris. Meg még néhány apró tárgy, amit nem tudtam beazonosítani.

– Tedd rá a kígyót! – mondta Cameron. – Mintha mindig is rajta lógott volna.

A karkötőt láncszemek tagolták, amelyek egyeztek a Mason

kígyójáról lógó zárt hurokkal. Találtam is egy üreset. *De mit csináljak két zárt karikával?*

– Szükségem van egy aranyláncra – közöltem.

– Vissza a leltárkönyvekhez! – mondta Cameron.

Az elve, miszerint mindenből akad az őrsön, kiállta a próbát. *Aranylánc, ékszerésztől, egy tekercsnyi. Elveszett tárgy 1969-ből.* Cameron levágott belőle másfél centit a zsebkésével.

– Kell egy fogó – mondtam.

– Használd a körmödet! – utasított.

Nehéz volt, de sikerült megoldanom. Aztán a lánc eltűnt Cameron zsebében.

– Menj, tépd ki azt az oldalt! – mondta.

Nem kellett volna, de megtettem.

Négy nappal később súlyos lelkifurdalás kerített hatalmába. Mason Masont letartóztatták. Ártatlannak vallotta magát a bírók előtt, de ők előzetes letartóztatásba helyezték. Ötezer dolláros óvadékot szabtak ki. Gondolom, Cameron összejátszott az ügyészséggel, hogy elég magas összeget állapítsanak meg, nehogy Mason újra az utcára kerüljön, mert kicsit aggódott miatta. Mason nagydarab ember volt, és rendkívül dühös a hamis vád miatt. Azt mondta, tudja, hogy ez az egész mocsok csak a számokról szól. Amit nem is bánt különösebben. De kijelentette, hogy senki nem vádolhat meg egy tengerészgyalogost becstelenséggel. Soha. Így aztán forrongott néhány napig, majd mindenkit meglepett, amikor előállt az óvadékkal. Kifizette az összeget, és elsétált. Mindenki azon agyalt, honnan szedhette a pénzt, de senki nem tudta. Cameron egy teljes napig izgult, aztán túltette magát az ügyön. Ő is nagydarab ember volt, ráadásul zsaru.

Aztán másnap megláttam Cameront a karkötővel. Késő délután volt. Az ékszer ott hevert az asztalán. Amikor észrevett, becsúsztatta a zsebébe.

– Annak a raktárban volna a helye egy új esetszámmal – mondtam. – Vagy Kelly Key csuklóján kellene lógnia.

– Odaadtam neki a kilencven fontot – mondta. – Úgy döntöttem, hogy a karkötőt megtartom.

– Miért?

– Mert tetszik.

– Ne már! Miért? – kérdeztem ismét.

– Mert tudok egy zálogházat a Muswell Hillen.

– El fogod adni?

Erre nem felelt semmit.

– Azt hittem, ez az egész a számokról szól – mondtam.

– A számokból nem csak egy fajta létezik – közölte. – A zsebemben lévő pénzt is számokban mérik.

– Mikor fogod eladni?

– Most.

– A tárgyalás előtt? Nem kell bemutatnunk mint bizonyítékot?

– Nem használod az eszedet, kölyök. A karkötő már nincs meg. Mason eladta. Mit gondolsz, honnan volt pénze az óvadékra? Az esküdtek szeretik az ilyen szép kis egybecsengéseket, mint ez is.

Azzal otthagyott egyedül az asztalomnál. Ekkor rúgta rám az ajtót a lelkiismeretem. Mason Mason körül kezdtek forogni a gondolataim. Meg akartam bizonyosodni arról, hogy nem fog szenvedni a számaink miatt. Ha tényleg orvosi kezelést kap majd a börtönben, ám legyen, azzal együtt tudok élni. Nem helyes, de talán még jó is lehet. De hogyan tudjuk ezt garantálni? Azt gondoltam, biztosan az előéletén múlik majd. Ha valóban kapott már korábban pszichiátriai kezelést, talán ezt rutinszerűen folytatni is fogják. De mi van, ha nem volt ilyen? Mi van, ha korábban épeszű rosszfiúként könyvelték el? Ott helyben elhatároztam, hogy csak akkor megyek bele a játékba, ha a végén Mason jól jön ki belőle. Ha ez nem így lesz, akkor az egészet meg fogom torpedózni, a karrieremmel együtt. Ez volt az én egyességem az ördöggel. Az egyetlen dolog, amit felhozhatok a mentségemre.

Beizzítottam a számítógépemet.

A tény, hogy a vezeték- és a keresztneve ugyanaz, lehetetlenné tette, hogy tévedjek a kereséskor. Egyetlen Mason Mason élt egész Londonban. Visszafelé rágtam át magam az aktáján. Elsőre biztatónak tűnt a helyzet. Tényleg részesült korábban pszichiátriai kezelésben. Sokszor behozták már különböző vétségekkel, és mind kapcsolódott valamilyen módon ahhoz a meggyőződéséhez, hogy ő felderítő tengerészgyalogos, London pedig csatatér. Bivakot húzott fel parkokban, nyilvánosan vizelt, alkalmanként járókelőket inzultált, mert azt hitte, síita gerillák vagy szerb militánsok. De a rendőrség általában jól bánt vele, kedves és megértő volt. Amilyen gyakran csak lehetett, bevonták a mentális egészségügyi szakértőket. Kapott kezelést. Időrendben visszafelé olvasva az aktáit úgy tűnt, egyre jobb kezelésekben részesült. Ami valós időrendben azt jelentette, hogy valamelyest belefáradtak Masonbe. Egyre rövidültek a kezelések. De értették. Tudták, hogy kattant. Tudták, hogy nem bűnöző.

Aztán észrevettem valamit.

Három évnél régebbi bejegyzés nem volt. Itt valami nem stimmelt. Jóval visszább tekertem, és rájöttem, hogy sokkal régebbi ügyei is voltak. Tizennégy évvel ezelőtti feljegyzéseket is találtam. Mason a húszas évei vége felé járt akkoriban, és rendszeresen bajba került a közrend megzavarása miatt. Dulakodás, verekedés, vad italozások, testi sértés. Néhány komolyabb, de átlagos vétség. Semmi mentális zavar.

Hallottam Cameron hangját a fejemben: *Csak ritkán iszik. Alapvetően ártalmatlan.*

Két Mason Mason létezik, gondoltam. *A régi és az új.*

És tizenegy év különbség van a kettő között.

Aztán eszembe jutott, ahogy Mason maga mondja azzal a meggyőző amerikai csengéssel: Uram, tizenegy év a tengerészgyalogság kötelékében, uram.

Egy percig mozdulatlanul ültem.

Aztán felemeltem a telefont, és tárcsáztam az amerikai nagykövetséget a Grosvenor Square-en. Nem tudtam, mi mást tehetnék. Rendőrtisztként mutatkoztam be, és kapcsolták nekem a katonai attasét.

– Külföldi állampolgárnak van lehetősége az önök tengerészgyalogságánál szolgálni? – kérdeztem.

– Önkéntességre gondol? – kérdezett vissza a pasas. – Megunta a rendőrködést? – A hangja kicsit hasonlított Masonére. Elgondolkodtam, vajon nem az indianai Muncie-ban született-e.

– Lehetséges? – tettem fel újra a kérdést.

– Hát persze! – mondta. – Szép számmal lépnek be a kötelékünkbe külföldi állampolgárok. Végtére ez is egy munka, amivel ráadásul öt év helyett három év alatt tudnak állampolgárságot szerezni.

– Ön a nagykövetségről le tud ellenőrizni aktákat?

– Sürgős?

Beugrott a kép, ahogy Cameron Muswell Hill felé tart, és egy feldúlt felderítő tengerészgyalogos követi árnyékként.

– Nagyon sürgős – mondtam.

– Kit keresünk?

– Egy Mason nevű fickót.

– Keresztneve?

– Mason.

– A keresztnevét kérném.

– Mason – mondtam. – Mindkét neve Mason.

– Tartsa a vonalat! – felelte.

A várakozási időt azzal töltöttem, hogy megpróbáltam kitalálni, vajon Cameron milyen útvonalat választ. Valószínűleg gyalog megy. Rövid út ez egy kocsikázáshoz, a metró is túl macerás. Át fog sétálni az Alexandra Parkon.

– Halló? – szólt bele a fazon a nagykövetségről.

– Igen?

– Mason Mason tizenegy évig szolgált a haditengerészetnél. Eredetileg brit állampolgár. Szakaszparancsnoki fokozatig jutott. Beválasztották a felderítőegységbe, és mindenfelé szolgált. Bejrútban, Panamában, a Mexikói-öbölben, Koszovóban. Számos plecsnit kapott, és kitüntetéssel szerelt le alig több mint három éve. Kegyetlenül jó katona volt. De van itt egy bejegyzés arról, hogy valamiféle bajba keveredett. A tengerentúli veteránok egyik szövetségének ki kellett őt menekítenie valamiért.

– Miért hagyta ott a tengerészetet?

– Elbukott egy pszichiátriai felmérésen.

– Mégis kitüntetéssel szerelt le?

– Kirúgjuk őket, de nem rúgjuk őket pofán – mondta a fazon.

Egy pillanatig tanácstalanul ültem. Küldjek ki járőrautókat? A parkban nem sokra mennének. Mozgósítsam a gyapjúsokat? Talán túlreagálom?

Egyedül mentem, végig futottam.

Az év vége féle jártunk, már sötétedett. A felüljáró alatt, amelyen átmentem, egy vonat haladt át. Figyeltem az utat magam előtt és kétoldalt a bozótot. Nem láttam sem Cameront, sem Masont.

Az Alexandra park vaskapuit már lelakatolták. *Ez a létesítmény sötétedéskor bezár,* írta a tábla. Átmásztam a kapun, és futottam tovább. Az éjszakai köd illata már érződött a levegőben. Még az északi körút forgalmának moraja is odahallatszott, valahonnan dél felől, talán Hornsey-ból pedig seregélyek hangját hallottam. Végigmentem a fő ösvényen, de nem találtam semmit. Előrébb megláttam az Alexandra-palota sötét tömbjét, és megálltam. Menjek tovább, vagy forduljak vissza? Muswell Hill utcái vagy a park? Egyértelműen a park jelentette a veszélyzónát. Egy felderítő gyalogos a parkban végezné el a munkát. Visszafordultam.

Az egyik mellékösvénytől úgy egy méterre találtam meg Cameront.

Félig egy alacsonyabb bokor alá rejtették. A hátán feküdt. Hiányzott a kabátja és a zakója. Az ingét letépték. A felsőteste mezítelen volt. Egy éles pengével vágták fel a hasát szegycsonttól a köldökéig. Aztán valaki belemártotta a kezét a vágásba, kiemelte a gyomrát, és a mellkasára tette. Csak úgy kivette az egész szervet, amely ott hevert a férfi mellkasán fakólilán, erezetten, mint egy puha léggömb. Addig szorongatták, nyomorgatták, fogdosták és rendezgették, amíg a vékony, áttetsző gyomorfalon át nem ütött a szerencsekarkötő halvány arany ragyogása. Elég tisztán ki tudtam venni az alkonyi fényben. Gondolom, nekem kellett volna a koszovói feleség szerepét játszanom. Én voltam Cameron cinkostársa, és nekem kellett volna visszaszereznem az ékszert. Vagy Kelly Key-nek. De egyikünk sem tette meg. A Mason által beállított jelenet nem teljesedett ki. Én meg sem próbáltam, Kelly Key pedig sosem látta a holttestet.

Nem jelentettem. Aznap éjjel csak kikeveredtem a parkból, és hagytam, hogy másnap reggel valaki más találja meg a holttestet. Hatalmas hír lett belőle. Nagy temetést rendeztek, mindenki ott volt. Aztán természetesen nagy nyomozást indítottak. Én nem mondtam semmit, mégis Mason Mason lett az első számú gyanúsított. De ő eltűnt, és nem látta soha többé senki. Még mindig odakint járkál valahol. Egy őrült felderítő tengerészgyalogos, aki a helyiek közé vegyül, akárhol is van.

És én? Befejeztem a gyakornoki évemet, és most Tower Hamletsben vagyok nyomozótiszt. Már jó pár éve itt dolgozom. A számaim igencsak jól alakulnak. Nem annyira jól, mint Ken Cameron számai, de próbálok tanulni a hibákból.

Tartalom

Borító nyomdai előkészítése KISS GERGELY
Belív nyomdai előkészítése TORDAS és TÁRSA Kft.

Ez a könyv a debreceni könyvnyomtatás
négy és fél évszázados hagyományait őrző
ALFÖLDI NYOMDA Zrt.-ben készült.
Felelős vezető György Géza vezérigazgató

Lee Child – Andrew Child

A TITOK

Fordította: Gieler Gyöngyi

A kilencvenes évek elején, az Amerikai Egyesült Államok különböző pontjain köztiszteletnek örvendő tudósok szenvednek halálos balesetet – látszólag egymástól teljesen függetlenül. Mégis felmerül a gyanú, hogy a halálestek között kapcsolat lehet, ezért a Védelmi Minisztérium különleges akciócsoportot hív össze.

A hadsereg színeiben Jack Reacher is megkezdi a nyomozást, fokozatosan göngyölítve fel a titokzatos szálakat, a maga hatásos módszereivel. Miközben versenyt fut az idővel, hogy megtalálja a halálesetek közötti kapcsolódási pontokat, és elkapja a feltételezett gyilkosokat, megpróbál rájönni újdonsült partnerei mögöttes szándékaira is. Reacher kiváló katona, de mások titkainak a szőnyeg alá söprése nem az ő stílusa. Küldetése az igazság kiderítése. A kérdés már csak az, hogy Reacher a hivatalos vagy a saját útját járva állítja majd bíróság elé a tetteseket?

Igazi mestermű... Gyors és ütős, akárcsak Jack Reacher, aki teszi, amit tennie kell: fejeket tör be, és szabályokat szeg meg, hogy kinyomozza az igazságot. – *Daily Express*

Lee Child
ELVARÁZSOLT DOLLÁROK

Fordította: Beke Cz. Zsolt

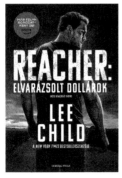

Margrave egy jelentéktelen kisváros Georgia államban. Jack Reacher hirtelen ötlettől vezérelve száll le az Atlantába tartó távolsági autóbuszról, és húsz kilométert gyalogol az esőben, hogy eljusson oda. Azt akarja kideríteni, vajon tényleg itt ölték-e meg a legendás bluesgitárost, Blind Blake-et.

Margrave-ben azonban harminc éve most először követett el valaki gyilkosságot. És Reacher az egyetlen idegen a városban. Ahogy a hullák száma egyre gyarapodik, csak egyvalami igazán biztos: rossz embert választottak az áldozati bárány szerepére.

Az *Elvarázsolt dollárokban* először tűnik fel a hatalmas népszerűségnek örvendő sorozat főhőse, Jack Reacher, az egykori katonai rendőr, aki magányosan járja Amerikát, miután leszerelt a hadseregtől. Ebben a kötetben első ízben bizonyítja, hogy bármilyen kihívással is találja szembe magát, sosem hátrál meg, és egyetlen dolog érdekli csupán: az igazság.

Egy ütős történet, tele a Lee Childtól megszokott magvas, húsba vágó tanításokkal. – *Entertainment Weekly*

Lee Child

A BAJ NEM JÁR EGYEDÜL

Fordította: Gieler Gyöngyi

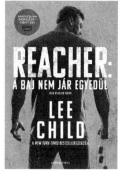

Jack Reacher egy reggel értetlenül áll a bankautomata előtt: az egyenlege ugyanis ezer dollárral többet mutat, mint amennyinek a számláján lennie kellene. Egészen pontosan ezerharminc dollárral. Reacher nem hisz a véletlenekben, így rögvest megsejti, hogy valaki a régi egységétől így próbál kapcsolatba lépni vele. A múltban Reacher és egykori csapatának tagjai mindig fedezték egymást. Így amikor egyiküket holtan találják a kaliforniai sivatagban, hat társuknak pedig nyoma vész, a férfi biztos abban, hogy a régi bajtársai komoly bajba keveredtek. És ő ezt nem nézheti tétlenül... Reacher nyomozni kezd, és minél több részletre derít fényt, annál riasztóbb kép rajzolódik ki előtte. Hogyan csalhattak tőrbe többeket is közülük, és vajon képes lesz-e a régi rutinra támaszkodva megfejteni a rejtélyt, hogy megmentse a még élőket, és méltó bosszút álljon?

Egy lélegzetelállítóan izgalmas hajsza letehetetlen története. – *The Plain Dealer*

Lee Child – Andrew Child
AZ EGYETLEN LEHETŐSÉG

Fordította: Gieler Gyöngyi

A coloradói Gerrardsville-ben meghalt egy nő. Úgy tűnik, öngyilkos lett. Jack Reacher azonban épp a helyszínen tartózkodott, amikor bekövetkezett a tragédia, és jól tudja, hogy az asszony nem a saját akaratából került a busz kerekei alá. Egy férfi nemcsak az élete kioltásáról gondoskodott, hanem arról is, hogy megkaparintsa a nő táskáját, és sietve eltűnjön. Minden bizonynyal el is tűnt volna, ha Reacher annyiban hagyja. Miután az egykori katonai rendőr megszerzi a táskát, csak pár perce marad, hogy a rendőrök kiérkezése előtt átkutassa a tartalmát, és amit benne talál, igencsak felkelti az érdeklődését.

Kisvártatva azonban kiderül, hogy az áldozat egykori kollégájának a halálát is öngyilkosságnak álcázták. De kik állhatnak a szörnyű bűntettek mögött? Milyen titkot akarnak megőrizni? És vajon mire képesek még, hogy elérjék a céljukat?

Csak egyvalamivel nem számoltak ördögi tervük megalkotásakor: Jack Reacherrel, aki nem ismer kegyelmet, ha az igazság kiderítéséről van szó.

GENERAL PRESS KÖNYVKIADÓ

1086 Budapest, Dankó u. 4–8.

Telefon: (06 1) 411 2416

www.generalpress.hu • generalpress@lira.hu